D0812788

Vie de Jésus

du même auteur

Pèlerins de Lourdes *Plon*

Souffrances et bonheur du chrétien *Grasset*

Sainte Marguerite de Cortone *Flammarion*

Le Jeudi Saint *Flammarion*

Blaise Pascal et sa sœur Jacqueline *Hachette*

Terres franciscaines *Plon*

La pierre d'achoppement *Éd. du Rocher*

Dieu et Mammon *Grasset*

Pascal *Corréa*

François Mauriac

de l'Académie française

Vie de Jésus

Flammarion

“ Le Christianisme réside essentiellement dans le Christ. Il est moins sa doctrine qu’il n’est sa Personne. Aussi les textes ne peuvent-ils se détacher de Lui, sans perdre aussitôt leur sens et leur vie. Toute la sagacité des critiques, toute leur patience, toute leur loyauté, ont pu rendre, et ont rendu en effet, d’éminents services dans l’étude matérielle *des livres où l’Église primitive a résumé sa croyance ; elles n’ont pu, sans la* Foi, *les initier à la vie intérieure des textes, leur en faire saisir la continuité, le mouvement et le mystère, dans le* Rayon*nement de la Présence qui est leur âme.”*

Maurice Zundel.
Le poème de la Sainte Liturgie.

Première édition

Nihil obstat :
Paris, 6 février 1936.
J. Lebreton s. j.

Imprimatur :
Lutetiæ Parisiorum
die 12° februarii 1936.
V. Dupin v. g.

Nouvelle édition

Nihil obstat :
Lutetiæ, die 29 augusti 1936.
J. Lebreton s. j.

Imprimatur :
Lutetiæ Parisiorum,
die 5° septembris 1936.
V. Dupin v. g.

Préface pour une nouvelle édition

A peine un livre est-il lancé dans le monde que l'auteur voudrait l'en retirer, surtout s'il a traité du seul sujet qui importe, du seul aussi qu'on ne puisse pas ne pas trahir. Trop tard ! Des milliers d'hommes lisent, et déjà protestent; les mêmes reproches surgissent de tous les points de l'horizon. Alors l'auteur s'émeut : " C'est peut-être vrai que Jésus témoignait à sa mère plus de tendresse que je ne l'ai marqué. Et puis, pour décrire son aspect physique, avais-je le droit d'écarter ce document : le Saint Suaire de Turin ? Avais-je le droit de substituer à ce décalque une image personnelle que je me suis faite selon des données d'ordre psychologique : non certes d'un artisan laid ou chétif, mais d'un Galiléen pareil à tous les autres et tel enfin que Rembrandt l'a vu ? Or l'homme flagellé et crucifié, l'homme au cœur percé dont la photographie a révélé l'empreinte sur la relique de Turin était très grand et son visage doit bien être tel que celui qui apparaîtra un jour dans les nuées déchirées du ciel, avec une grande majesté et une grande gloire... Et pourquoi avoir enlevé tout contour à la figure de Marie-Madeleine ? "

Sur ces points et sur plusieurs autres, je me suis donc efforcé d'apporter quelques retouches dans l'étroite mesure où je le pouvais faire sans refondre tout mon ouvrage.

Il me reste de demander pardon aux exégètes que j'ai irrités et blessés ; mais ce n'était point mon propos que de me livrer à la critique des textes. Le Nouveau Testament tel qu'il s'offre aujourd'hui à nous est l'histoire d'un homme aux traits définis, et dont il appartient à chacun de tenter le portrait psychologique. J'ai voulu montrer que " ce document respire ", comme dit Claudel, et que dans aucune autre histoire, nous n'entendons respirer quelqu'un comme dans cette histoire.

Ce n'est pas que je méprise la critique historique, ni qu'elle me soit tout à fait étrangère. Je suis sorti du collège en pleine crise moderniste. La foi d'un jeune Catholique, dans ces premières années du siècle, était de partout assaillie. La persécution du combisme ne comptait guère auprès de ces attaques contre la doctrine, et dont les plus puissantes étaient menées avec un talent et une verve " endiablée ", à l'intérieur même de l'Église.

Celui qui s'appelait encore l'abbé Loisy ne publiait rien que je ne lusse avec une avidité douloureuse. Certains de ses traits m'atteignaient profondément : lorsque par exemple il disait ne point posséder dans le chétif répertoire de ses connaissances l'idée de science approuvée par les Supérieurs. Je le croyais sur parole, et, pour faire la part du feu, je sacrifiais les versets que le savant abbé dénonçait comme des interpolations.

Avouerai-je qu'à cause de lui et de ses émules, je m'abstins pendant des années de lire le quatrième Évangile ? et même dans les synoptiques, je ne sortais guère du texte de Marc.

Comme beaucoup de Catholiques troublés de ces années-là, les difficultés d'ordre historique m'inclinaient à chercher ailleurs que dans l'histoire les fondements de cette croyance à laquelle j'adhérais toujours. Le Christ vivant dans l'Église, vivant dans les Saints et en chacun de nous, authentifiait le Christ de l'histoire. Je fus, vers ce temps-là, grand lecteur des *Annales de philosophie chrétienne*. La révélation intérieure, sans se substituer au fait historique de l'Incarnation devait suffire, croyais-je, à rendre vaines les arguties des historiens. J'ai retrouvé dans mes notes de nombreuses citations du Père Tyrrel et des apologistes de l'Immanence.

Depuis, l'Église a séparé parmi eux le bon grain de l'ivraie. Pour moi, j'atteste que de ce côté-là me vint beaucoup de lumière et que bien loin de me détacher du Christ de Nazareth l'étude du Christ intérieur m'y ramena. C'est la connaissance du fleuve qui m'a détourné de toute inquiétude au sujet de la source; c'est le grand arbre épanoui et plein d'oiseaux qui m'a fait considérer le grain de sénevé avec des yeux simples.

Peu à peu je m'accoutumai à examiner plus froidement certaines objections. Il éclatait aux yeux que M. Loisy et ses disciples partaient d'un a priori aussi exigeant que pouvait l'être ma foi dans le Christ : l'impossibilité de rien admettre sur le plan de l'histoire qui pût impliquer l'existence du surnaturel. Cette négation n'a pas fini de susciter les hypothèses les plus gratuites, les conjectures les plus hasardées. Serais-je indifférent en ces matières, je jugerais aujourd'hui que la critique orthodoxe a du moins pour elle de s'appuyer sur une tradition, tandis que les opinions contradictoires de ses adversaires, sauf en quelques points nullement essentiels, ne sont le plus souvent que des vues de l'esprit et ne correspondent qu'aux exigences de la controverse.

« Que d'efforts pour obscurcir la divinité du Christ, a écrit admirablement Paul Claudel, pour voiler ce visage insoutenable, pour aplatir le fait chrétien, pour en effacer les contours sous les bandelettes entre-croisées de l'érudition et du doute ! L'Évangile mis en petits morceaux ne constituait plus qu'un amas de matériaux incohérents et suspects où chaque amateur allait rechercher les éléments d'une construction aussi prétentieuse que provisoire. »

Quand il m'arrive aujourd'hui de relire ces textes qui m'avaient troublé, ou d'autres plus récents, je vois bien que j'ai affaire à des gens pleins de passion, aux confesseurs d'une foi impérieuse. Ils ont besoin d'être sûrs que ce Jésus était un homme pareil aux autres, un agitateur comme il y en eut beaucoup avant lui et après lui. Mais que ce serait mieux encore, et plus rassurant, s'il pouvait n'être jamais né ! Ah ! oui ! mieux vaudrait que cet homme ne fût jamais né. Alors ceux qui l'ont trahi s'endormiraient en paix, la figure tournée vers le néant.

Dirai-je toute ma pensée ? L'absence de sérénité chez certains professionnels de l'exégèse, ces raisonnements passionnés, ces démonstrations faites d'une voix tremblante — ce frémissement même rend témoignage à celui qu'ils n'ont tué que pour eux seuls mais qui s'obstine à survivre, à orienter des millions de destinées. Ignorant jusqu'au nom d'un certain professeur, il m'a suffi du ton de sa diatribe contre mon petit livre pour deviner d'où cet homme venait, et de quelle robe noire il s'était dépouillé.

Pas plus que moi vous ne pouvez parler de Lui avec détachement. Vous êtes engagés dans une lutte. Vous êtes les témoins de Celui que vous essayez de détruire.

La Face soudain révélée grâce à la photographie du Suaire de Turin n'est que le signe sensible d'un miracle plus étonnant : sous les coups acharnés de la critique, depuis un siècle, ce visage demeure intact; combattu sans répit, ce feu inextinguible ne cesse de couver sourdement dans la forêt humaine. Les adversaires vont à l'extrême de la négation, nient que cet homme ait jamais existé, dénoncent dans son histoire un mythe né de l'espérance humaine. Ils parlent, ils écrivent; mais Lui, il est toujours là, désigné par les coups même dont on l'accable : « Là où sera le corps, est-il écrit, là s'assembleront les aigles... » Il n'y a pas que des aigles parmi ceux qui se pressent autour du Ressuscité.

Mais je connais bien les faiblesses de mon ouvrage : Après tant d'articles et de lettres reçus, je ne doute plus d'avoir, sinon déformé le Christ, du moins fait jouer sur lui l'ombre et la lumière selon d'obscures préférences. J'ai mis l'accent sur ce qui correspond à mes préoccupations, et d'abord sur cette fureur de l'Homme-Dieu, où en réalité mon esprit achoppe,

— comme pour me prouver à moi-même qu'elle n'étonne pas ma foi. Cette âpreté, cette violence, je les ai rattachées à une idée peut-être trop humaine de l'amour; je crois que dans le Christ elles ne s'opposent pas à l'amour, qu'elles en sont au contraire le signe.

Et puis, dans ce débat qui affleure à toutes les pages de mon livre, et qui est celui de la Grâce, il se peut que j'aie penché d'un côté, retirant trop à l'homme, laissant toute initiative à Jésus, me fiant à ce choix, à cette préférence souveraine : " Ce n'est pas vous qui m'avez choisi, c'est moi qui vous ai choisis. " Toutes les contradictions de l'Évangile sont résolues si l'on consent à ce que Dieu qui est amour ne cède jamais qu'à ces raisons du cœur qui échappent à la raison.

De même que dans une œuvre du génie humain, chacun de nous se taille un royaume à sa mesure, chaque Chrétien cherche dans le Christ son propre sauveur; et c'est la merveille qu'étant venu pour chacun de nous, nous découvrions, entre toutes ses paroles, celles qu'il nous adresse en particulier, — alors que d'autres touchent des âmes plus hautes, sont mieux comprises de ceux dont les difficultés ne ressemblent en rien à notre drame, à notre tourment secret.

Malgré l'image trop personnelle que l'auteur a donnée du Christ, il sait que son livre a troublé heureusement des consciences endormies. Nous éprouvons une telle honte à parler de Lui, lorsque notre vie est toute mêlée à ce monde pour lequel il a refusé de prier, qu'il nous est nécessaire d'arrêter notre pensée sur cette vérité d'expérience: tout se passe comme si chaque Chrétien avait son lot fixé d'avance dans le champ du Père, et qui doit être labouré et ensemencé. Si nous faisons défaut, l'essentiel de notre tâche s'accomplit à travers nous et presque malgré nous. La Grâce nous utilise tout de même pour un dessein qui nous dépasse : comme si l'Auteur du drame soufflait au mauvais interprète le rôle qu'il joue du bout des lèvres et à contre-cœur; comme s'il finissait, à l'insu du public, par se substituer à lui. Le succès obtenu est loin de ce qu'il eût été si l'acteur n'avait pas trahi; mais enfin les cœurs sont tout de même touchés, qui devaient l'être...

Le crédit que ce livre a trouvé auprès d'un vaste public montre ce qu'il faut bien appeler d'un mot affreux : " L'actualité du Christ ". Le moment de l'histoire où nous sommes nous aide à pénétrer cette question mystérieuse que Jésus se posa à lui-même et qu'il laissa sans réponse : " Quand le Fils de l'homme reviendra, trouvera-t-il encore de la foi sur la terre ? " Nous voyons aujourd'hui ce que sans doute il trouvera : une préparation à la foi, dans le quasi-néant de toute croyance positive, une extraordinaire disponibilité de l'âme humaine. Ces multitudes harassées et sans pasteur dont le troupeau envahit les avenues des grandes capitales et qui piétinent derrière des oriflammes, dilapident au service de doctrines qui appartiennent au temps, un trésor de désintéressement et d'amour assez grand pour leur acquérir la vie éternelle, le jour où Celui qui est la vie, apparaîtra et dira : " C'est moi, ne craignez point. "

Ce qui m'a déterminé plus que toute autre raison à oser écrire cette vie, c'est justement le besoin de retrouver, de toucher en quelque sorte, l'Homme vivant et souffrant dont la place reste vide au milieu du peuple, le Verbe incarné, c'est-à-dire un être de chair, d'une chair semblable à notre chair. Certains de mes contradicteurs (entre autres, M. Edouard Dujardin) s'étonnent de ce que je n'éprouve pas comme eux la tentation d'épargner à Jésus les abaissements de la vie charnelle, pour ne lui accorder qu'une vie toute spirituelle. Car un Couchoud, un Dujardin, ne sont pas des blasphémateurs ni, à proprement parler, des athées : ils ne refusent l'existence historique au Sauveur que pour lui assurer une vie indépendante de tout ce qui limite, amoindrit et humilie en lui le Dieu.

Bien loin que cette tentation m'ait jamais effleuré, j'ai toujours sur ce point cédé à une exigence de mon esprit qui ne se meut à l'aise que dans le concret. L'avouerai-je ? Si je n'avais pas connu le Christ, " Dieu " eût été pour moi un mot vide de sens. A moins d'une grâce très particulière, l'Être infini m'eût été inimaginable, impensable. Le Dieu des philosophes et des savants n'aurait tenu dans ma vie morale aucune place. Il a fallu que Dieu s'engouffrât dans l'humanité, et qu'à un moment précis de l'histoire, sur un point déterminé du globe, un être humain, fait de chair et de sang, ait prononcé certaines paroles, accompli certains gestes, pour que je me mette à genoux. Si le Christ n'avait pas dit : "Notre Père... " je n'eusse jamais eu de moi-même le sentiment de cette filiation; cette invocation ne serait jamais montée de mon cœur à mes lèvres. Je ne crois qu'à ce que je touche, qu'à ce que je vois, qu'à ce qui s'incorpore à ma substance, et c'est pourquoi j'ai foi dans le Christ. Tous les efforts pour réduire en lui la condition humaine vont à l'encontre de ma plus profonde tendance, et sans doute y faut-il rattacher mon obstination à préférer au visage du Christ-Roi, du Messie triomphant, l'humble figure torturée de l'homme que dans l'auberge d'Emmaüs les pèlerins de Rembrandt reconnaissaient à la fraction du pain, notre frère couvert de blessures, notre Dieu.

Enfin, j'avoue n'être jamais entré dans l'état d'esprit (que je respecte) des hommes qui se réclament du Catholicisme tout en se défendant de croire au Christ réel. Si je ne croyais pas à la parole d'un certain homme né sous Auguste et crucifié sous Tibère, si toute l'Église reposait sur un songe ou sur un mensonge (c'est même chose à mes yeux) ses dogmes, sa hiérarchie, sa discipline, sa liturgie, se videraient pour moi de toute valeur et même de toute beauté : sa beauté, c'est la splendeur du vrai. Si Jésus n'était pas le Christ, je ne serais sensible dans les cathédrales, qu'à un vide immense. En cas de guerre, les vitraux de Chartres dont le sort inquiète à juste titre les personnes de goût, m'intéresseraient moins que la vie du plus humble soldat de deuxième classe.

Un artiste incrédule considère la noble et illustre façade que l'Église dresse devant le monde; il admire le vaisseau de Pierre, immuable au-dessus des siècles. Mais il en oublie les fondements : tant de vies sacrifiées, tant d'immolations. Depuis dix-neuf siècles, de génération en génération, la meilleure part de l'humanité se met, de son plein gré, en croix et y demeure, sans qu'aucune raillerie puisse l'en faire descendre. Aucune considération d'ordre moral, esthétique ou social ne me ferait accepter ce crucifiement de tant de créatures, si Jésus de Nazareth n'était pas le Christ, le Fils de Dieu, — s'il n'avait pas existé.

Les couvents, les presbytères, (pour ne parler que des clercs et des moniales) ne sont pas uniquement peuplés d'âmes joyeuses, inondées de consolations. Et sans doute, elles y abondent. Mais même celles-là jouissent d'une paix qui n'est pas la paix que le monde donne. Leur joie est le fruit d'une victoire continue sur la nature — d'une très douloureuse victoire. Et puis, il reste les autres : les fidèles qui demeurent à mi-côte, qui luttent, succombent, se relèvent, retombent, se traînent de nouveau sur ce chemin marqué par le sang de ceux qui les ont précédés. Tous, les pécheurs et les saints, ils ont cru à une parole, ils ont mis leur confiance dans une affirmation solennelle : " le ciel et la terre passeront, mais mes paroles ne passeront pas. " Les uns et les autres, les saints et les pécheurs, ont crié dans leurs moments de doute ou d'angoisse : " A qui irions-nous, Seigneur ? Vous avez les paroles de la vie éternelle. " Ils se moqueraient bien de faire ce qu'ont fait les morts ! Que leur importe la poussière de ceux qu'ils n'ont pas aimés ! Il ne s'agit pas pour eux d'accepter un héritage national, ni de feindre la foi en des légendes qui aideraient au maintien de certaines vertus utiles. Si, par impossible, il leur était révélé que le Fils de l'homme n'est pas le Fils de Dieu, ils ne le suivraient plus, ils ne se chargeraient plus de sa croix —, fût-ce pour le salut d'une certaine civilisation, d'une certaine culture. Ils marchent à sa suite, parce qu'il a dit : " Je suis le Christ... " et qu'ils l'ont cru sur parole.

Qu'on ne m'objecte pas que l'espérance sans fondement n'en demeure pas moins l'espérance, que les Chrétiens, s'il n'y avait pas d'éternité, ne le sauraient jamais et qu'enfin le néant ne peut confondre personne. Ce raisonnement vaut pour ceux qui n'ont quitté le monde que lorsque depuis longtemps, le monde les avait quittés, pour ceux qui apportent à Dieu des restes dont personne ne veut plus. Oui, ceux-là, dans le pari où Pascal les engage gagnent à coup sûr. Mais pour les autres ? Pour tant de jeunes êtres consacrés à Dieu dans la force et dans la tendresse de leur âge ? Ils ont tout de même renoncé à une réalité : le misérable bonheur humain existe. L'amour ne nous semble précaire et dérisoire que parce qu'il n'est qu'une caricature de l'union divine. Si cette union était un leurre, si les promesses éternelles n'avaient jamais retenti dans le monde, ce triste amour eût été la perle sans prix, au-dessus de quoi il n'y aurait rien eu, et il aurait fallu renoncer à tout pour l'acquérir. Mais le Verbe s'est fait chair. La croix n'est adorable que parce qu'Il y a été cloué. La croix sans le Verbe ne serait rien de plus qu'une potence.

Et c'est pourquoi un croyant aussi faible, aussi démuni qu'il se sente, a le devoir de répondre à la question éternelle : « Et vous, que dites-vous de cet Homme ? » Ce livre si indigne de son objet n'est qu'une réponse entre mille autres, le témoignage d'un Chrétien qui sait que ce qu'il croit est vrai.

Ce grand arbre catholique ne nous paraît si beau que parce qu'il est réellement vivant et qu'en dépit de tant de branches mortes il bouillonne de sève, et que le sang du Christ continue de circuler, des racines aux moindres brindilles et jusqu'à la dernière feuille. Le Catholicisme sans le Christ serait une coquille vide, curieusement ouvragée. Au contraire, qu'un raz de marée détruise les temples et les cloîtres, les palais et les œuvres, rien en réalité ne sera détruit, puisqu'il restera l'Agneau de Dieu, dont j'ai essayé de fixer ici une image infidèle.

Cette image, je proteste encore une fois que je n'ai prétendu l'imposer à personne. Si chacun de nos amis se fait de nous une représentation qui diffère de toutes les autres, à plus forte raison quand il s'agit du Fils de Dieu ! Et c'est pourquoi je considère comme une grâce inespérée d'avoir pu atteindre par cette *Vie* un si grand nombre d'âmes. Je remercie tant de lecteurs qui m'ont témoigné qu'ils avaient été touchés. Une lettre anonyme n'est pas toujours infâme; il en est de sublimes — de celles par exemple qui sont signées : " *Un pauvre prêtre inconnu dont le nom ne vous apprendrait rien.* "

Paris, 6 *août* 1936.

Préface de la première édition

De tous les historiens, l'exégète est le plus décevant. S'il appartient à l'espèce de ceux qui d'abord nient le surnaturel et qui en Jésus ne discernent pas le Dieu, nous sommes assuré qu'il n'entend rien à l'objet de son étude et pour nous toute sa science ne pèse pas un fétu. En revanche s'il est chrétien, osons dire que trop souvent sa ferveur même fait trembler la main du peintre, obscurcit son regard : l'homme, le nommé Jésus dont il nous trace le portrait risque de s'anéantir dans la fulguration de la deuxième Personne divine.

Sans doute la rencontre de l'érudition et de la connaissance mystique dans un écrivain a suscité en France d'admirables travaux comme ceux du Père Lagrange, des Pères de Grandmaison, Lebreton, Pinard de Laboulaye, Huby. Mais il en est d'autres, hélas ! et nous savons pourquoi des gens raisonnables en sont venus aujourd'hui à nier l'existence historique du Christ : le Jésus des Évangiles, tantôt ramené par ses historiens aux proportions d'un homme ordinaire, tantôt élevé par leur adoration et par leur amour très au-dessus de cette terre où il a vécu et où il est mort, perd aux yeux du peuple fidèle comme à ceux des indifférents tout contour défini et n'offre plus aucun des traits d'une personne réelle.

Or c'est ici qu'un écrivain catholique, fût-il des plus ignorants, un romancier — mais qui justement se connaît, si j'ose dire, en héros inventés, — a peut-être le droit d'apporter son témoignage. Sans doute une *Vie de Jésus*, il faudrait l'écrire à genoux, dans un sentiment d'indignité propre à nous faire tomber la plume des mains. Cet ouvrage-là, un pécheur devrait rougir d'avoir eu le front de l'achever.

Puisse-t-il du moins persuader le lecteur que le Jésus des Évangiles est le contraire d'un être artificiel et composé. Voici la plus frémissante des grandes figures de l'Histoire et, entre tous les caractères qu'elle nous propose, le moins logique parce qu'il est le plus vivant. A nous de le saisir dans ce qu'il a de particulier, d'irréductible.

Avant que nous sachions qu'il est Dieu, quelqu'un nous apparaît à une époque déterminée assez proche de nous dans le temps : un certain homme qui se rattache à une patrie, à un clan; un homme entre beaucoup d'autres, l'un d'eux — au point que pour le distinguer des onze pauvres gens qui l'entourent, il est nécessaire que le baiser de Judas le désigne. Cet ouvrier charpentier parle et agit en Dieu. Ce Galiléen de la basse classe, membre d'une très pauvre famille qui d'ailleurs se moque de lui et le croit fou, possède un tel pouvoir sur la matière, sur les corps et sur les cœurs qu'il soulève le peuple, le livre à l'espérance messianique; et les prêtres pour abattre cet imposteur devront avoir recours à leur pire ennemi, au Romain.

Oui, à leurs yeux, un imposteur servi par les démons,

un singe de Dieu qui feint de remettre les péchés et dont le blasphème dépasse tout blasphème. Tel leur apparaissait ce Jésus que les siens chérissaient en tremblant comme un ami à la fois tout-puissant et tout humble : le même homme sous ces deux aspects, unique mais différent selon les cœurs qui le reflètent; adoré des pauvres et haï des superbes à cause de ce qu'il a de divin, et pour cela même aussi incompris des uns que des autres; voilà l'objet de ma peinture, le portrait dont j'ai eu l'imprudence de tenter une ébauche.

Incompris et donc irrité, impatient, quelquefois furieux comme l'est tout amour. Mais sous cette violence à la surface de son être, règne en profondeur une paix qui est sienne et qui ne ressemble à aucune autre, *sa* paix, comme il l'appelle, la paix de l'union avec le Père, le calme d'une tendresse qui connaît d'avance son heure et que son chemin aboutit à cette agonie, à ces outrages et à ce gibet.

Violence apparente et calme dans la profondeur se manifestent également dans ses paroles. Il faudrait les reprendre une à une, les débarrasser de la rouille du temps, de cette crasse qu'entretient l'habitude, enlever les couches de commentaires lénitifs qui s'y accumulent depuis tant d'années. Alors nous réentendrions la voix qui ne se confond avec aucune autre voix : elle tremble encore dans chaque mot qu'on a retenu de lui, et ne s'interrompt jamais de susciter non seulement l'amour mais, comme dit le Père Lacordaire, “ des vertus fructifiant dans l'amour ”.

Et ce petit livre téméraire n'aura pas été écrit en vain si un seul lecteur, le refermant, entrevoit tout à coup ce que signifiait cette excuse des gardes à qui les pontifes reprochaient de n'avoir pas osé mettre la main sur Jésus : " Jamais homme n'a parlé comme cet homme. "

Vie de Jésus

I

La nuit de Nazareth.

Sous le règne de Tibère César, le charpentier Ieschou, fils de Joseph et de Marie, habitait cette bourgade, Nazareth, dont il n'est question dans aucune histoire et que les Écritures ne nomment pas : quelques maisons creusées dans le roc d'une colline, face à la plaine d'Esdrelon. Les vestiges subsistent de ces grottes. Et l'une d'elles recéla cet enfant, cet adolescent, cet homme, entre l'ouvrier et la Vierge. Là, il vécut environ trente années, — non pas dans un silence d'adoration et d'amour : Jésus demeure au plus épais d'un clan, parmi les ragots, les jalousies, les menus drames d'un nombreux parentage, des Galiléens dévots, ennemis des Romains et d'Hérode, et qui, dans l'attente du triomphe d'Israël, montent pour les fêtes à Jérusalem.

Ils étaient donc là dès le commencement de sa vie cachée, ceux qui, dans le temps de ses premiers miracles, prétendront qu'il est hors de sens et voudront se saisir de lui; ceux dont l'Évangile nous donne les noms : Jacques, Joseph, Simon, Jude... A quel point il s'était rendu semblable à tous les garçons de son âge, le scandale des Nazaréens le prouve assez, lorsqu'il prêcha pour la première fois dans leur synagogue. Il ne leur en fit pas accroire : " N'est-ce pas le charpentier, disaient-ils, le fils de Marie, ses frères (ses cousins) ne sont-ils pas ici parmi nous ? " Ainsi parlaient de lui les gens du voisinage qui l'avaient vu grandir, ou avec lesquels il avait joué et dont naguère encore il exécutait les commandes : c'était le charpentier, un des deux ou trois charpentiers du bourg.

Et pourtant, comme tous les ateliers de ce bas monde à une certaine heure, celui-là devenait obscur. La porte et la fenêtre étaient fermées sur la rue. Ces trois êtres restaient seuls dans la chambre, autour d'une table où du pain était posé. Un homme appelé Joseph, une femme appelée Marie, un garçon appelé Ieschou. Plus tard, lorsque Joseph eut quitté ce monde, le fils et la mère demeurèrent l'un en face de l'autre, dans l'attente.

Que se disaient-ils ? " *Or Marie conservait toutes ces choses en elle-même, les repassant dans son cœur...* " Ce texte de Luc, et cet autre du même évangéliste : " *Et sa mère conservait toutes ces choses dans son cœur...* " ne prouvent pas seulement qu'il a reçu de Marie tout ce qu'il connaît de l'enfance du Christ; ils percent d'un trait de feu l'obscurité de cette vie à trois, puis à deux, dans l'échoppe du charpentier. Certes, la femme ne pouvait rien oublier du mystère qui s'était consommé dans sa chair; mais à mesure que les années le recouvraient sans accomplir les promesses de l'ange annonciateur, une autre qu'elle en aurait peut-être détourné sa pensée, car ces prophéties étaient obscures et terrifiantes.

Gabriel avait dit : " Voici que vous concevrez en

votre sein, et que vous enfanterez un fils et vous lui donnerez le nom de Jésus. Il sera grand; on l'appellera fils du Très-Haut; le Seigneur Dieu lui donnera le trône de David son père ; il règnera éternellement sur la maison de Jacob et son règne n'aura point de fin. »

Or l'enfant était devenu un adolescent, un jeune homme, un homme, cet ouvrier galiléen penché sur son établi. Il n'était pas grand; on ne l'appelait pas fils du Très-Haut; il n'avait pas de trône, mais un escabeau, au coin du feu d'une pauvre cuisine. La mère aurait pu douter... Or voici le témoignage de Luc : Marie conservait ces choses et inlassablement les repassait dans son cœur.

Dans son cœur : elle les gardait, elle ne les livrait pas. Même devant le Fils peut-être... Aucun colloque entre eux n'est imaginable. Ils prononçaient en araméen les mots ordinaires des pauvres gens, ceux qui désignent les objets usuels, les outils, la nourriture. Il n'y avait pas de paroles pour ce qui s'était accompli en cette femme. La famille, en silence, contemplait le mystère. La méditation des mystères a commencé là, dans cette ombre de Nazareth où la Trinité respirait.

A la fontaine, au lavoir, à qui la Vierge eût-elle fait croire qu'elle était vierge et qu'elle avait enfanté le Messie ? Mais au cours de ces besognes, rien ne la détournait de repasser dans son cœur son trésor : la salutation de l'ange, les paroles prononcées pour la première fois : « Je vous salue, pleine de grâces, le Seigneur est avec vous, vous êtes bénie entre toutes les femmes... » et qui seraient répétées des milliards de fois dans les siècles des siècles, — cela, l'humble Marie le savait, elle qui, en proie à l'Esprit Saint, avait prophétisé un jour, devant sa cousine Élisabeth : " toutes les générations me proclameront bienheureuse ! "

Après vingt ans, après trente ans, la mère du charpentier croit-elle encore que toutes les générations la proclameront bienheureuse ! Elle se rappelait, du temps qu'elle était grosse, ce voyage au pays des montagnes, dans une ville de Juda. Elle était entrée dans la maison du prêtre Zacharie qui était muet et d'Élisabeth son épouse. Et l'enfant que cette vieille femme portait dans son sein avait tressailli, et Élisabeth s'était écriée : " Vous êtes bénie entre les femmes... "

Après vingt ans, après trente ans, Marie se croit-elle encore bénie entre toutes les femmes ? Il n'arrive rien, et que pourrait-il advenir à cet ouvrier accablé, à ce juif qui n'est déjà plus très jeune, qui ne sait que raboter des planches, méditer l'Écriture, obéir et prier ?

Un seul témoin subsistait-il parmi ceux qui avaient assisté à la manifestation de Dieu, dès le commencement, dans cette nuit bénie ? Où étaient-ils, les bergers ? et ces hommes savants, familiers des astres, venus d'au-delà de la mer Morte pour adorer l'Enfant ? Toute l'histoire de ce monde avait paru alors se plier aux desseins de l'Éternel. Si César Auguste ordonnait le recensement de l'Empire et des terres vassales comme la Palestine aux jours d'Hérode, c'était pour qu'un couple suivît le chemin qui va de Nazareth à Jérusalem et à Bethléem, et parce que Michée avait prophétisé : " Mais toi, Bethléem d'Ephrata, petite quant à ton rang parmi les clans de Juda, de toi naîtra le souverain d'Israël... »

La mère, vieillie, de cet ouvrier charpentier, cherchait au fond de l'ombre les anges qui dans les jours après l'Annonciation n'avaient cessé de peupler sa vie. C'étaient eux qui, durant la nuit sainte, avaient montré aux bergers la route de la grotte et du fond de ces mêmes ténèbres, où l'amour tremblait de froid dans une crèche, promis la paix sur la terre aux hommes de bonne volonté. C'était un ange encore qui avait, en songe, ordonné à Joseph de prendre l'Enfant et sa mère et de fuir en Égypte la colère d'Hérode... Mais depuis le retour à Nazareth, le ciel s'était refermé, les anges avaient disparu.

Il fallait laisser le Fils de Dieu s'enfouir profondément dans la chair d'un homme. D'année en année, la mère du charpentier aurait pu croire qu'elle avait rêvé, si elle ne fût demeurée continûment en la présence du Père et du Fils, passant et repassant dans son cœur les choses accomplies.

Le vieillard Siméon.

D'un seul de ces événements peut-être s'efforçait-elle parfois d'écarter sa pensée. Il y avait eu une parole prononcée dans le Temple qu'elle avait peut-être, à certaines heures, la tentation d'oublier. Le quarantième jour après la naissance de l'enfant, ils étaient revenus à Jérusalem pour que Marie allât se purifier et pour présenter au Seigneur cet enfant mâle qui lui appartenait comme tous les premiers-nés et qu'il fallait racheter au prix de cinq sicles. Et voici qu'un vieillard nommé

Siméon avait pris l'enfant dans ses bras. Et tout à coup il éclata de joie dans le Saint-Esprit : Que le Seigneur le laisse aller en paix puisque ses yeux ont vu le Salut, la lumière qui éclairera les nations, la gloire d'Israël... Mais pourquoi le vieux s'était-il tourné vers Marie, tout à coup ? Pourquoi avait-il prophétisé : “ Vous-même, un glaive transpercera votre âme... ” ?

Cette parole ne l'a plus jamais quittée : cette parole, ce glaive. Il est entré en elle à cette heure-là et il y demeure enfoncé. Car elle sait bien qu'elle ne peut-être atteinte que dans son fils, que toute souffrance, comme toute joie, ne lui vient que de lui. Voilà pourquoi ce qui subsistait en Marie de faiblesse humaine se réjouissait peut-être, de ce que les années s'écoulaient sans que se dissipât l'obscurité de leur pauvre maison et de leur pauvre vie. Peut-être songeait-elle qu'il n'en fallait pas plus pour le salut du monde que cette présence ignorée du monde, que cet ensevelissement inconnu d'un Dieu dans la chair, — et qu'elle n'avait à craindre d'autre glaive que la douleur d'être seule, parmi les créatures, témoin de cet immense amour.

2

L'enfant au milieu des Docteurs.

Vie tellement ordinaire, et si pareille à toute les vies, que Luc qui se vante au début de son évangile " de s'être exactement instruit de tout depuis l'origine " ne trouve rien d'autre à rapporter touchant l'adolescence du Christ que cet incident au cours d'un voyage à Jérusalem qu'il fit à douze ans avec ses parents pour la fête de Pâques : Lorsque Marie et Joseph s'en retournèrent à Nazareth, l'enfant les avait quittés. Ils crurent d'abord qu'il était resté auprès de leurs voisins et de leurs connaissances et marchèrent sans lui tout un jour. Puis l'inquiétude les prit. L'ayant cherché en vain de groupe en groupe, ils revinrent affolés sur leurs pas. Pendant trois jours, ils crurent l'avoir perdu, errèrent à travers Jérusalem.

Lorsqu'ils le découvrirent enfin dans le temple, assis au milieu des Docteurs que ses propos ravissaient, ils ne songèrent pas à partager leur admiration et sa mère lui adressa pour la première fois peut-être, des reproches :

— Mon enfant, pourquoi avez-vous agi ainsi avec nous ? Votre père et moi nous vous cherchions tout affligés...

Et pour la première fois, Ieschou ne fit pas la réponse qu'eût faite tout autre enfant ; il ne répondit pas du ton d'un écolier ordinaire. Sans insolence, mais comme s'il n'avait pas d'âge, comme s'il était au delà de tout âge, il les questionna à son tour :

— Pourquoi me cherchiez-vous ? Ne saviez-vous pas qu'il faut que je sois aux choses de mon Père ?

Ils le savaient, sans le savoir... Le témoignage de Luc est formel : les parents ne comprirent pas ce que l'enfant leur disait. Marie, une mère pareille aux autres mères, consumée de soucis, d'inquiétudes... et quelle mère pénètre aisément dans le mystère d'une vocation ? Quelle mère, à une certaine heure, n'est pas déroutée devant ce jeune être grandissant qui sait où il veut aller ? Mais la prédestinée qu'elle était, éclairée dès le commencement, recueillait dans son cœur ce que la pauvre femme ne comprenait pas. Pourtant, ces paroles de l'enfant devaient lui paraître dures. Son Ieschou lui en a-t-il adressé de douces, avant la toute dernière, du haut de la croix ?

Luc nous assure que Jésus était soumis à ses parents, il n'ajoute pas qu'il ait jamais été tendre avec eux. Aucune des paroles du Christ à sa mère, relatées dans les Évangiles (sauf la dernière), qui ne manifeste durement son indépendance à l'égard de la femme : comme s'il s'était servi d'elle pour s'incarner, et il était sorti de cette chair, et, en apparence, il n'y avait plus rien de commun entre elle et lui. A ceux qui devaient l'avertir un jour : " Votre mère et vos frères sont là dehors qui vous cherchent... " il répondit : " Qui est ma mère et qui sont mes frères ? " Puis promenant ses regards sur ceux qui étaient assis autour de lui : " Voici, dit-il, ma mère et mes frères. Car quiconque fait la volonté de Dieu, celui-là est mon frère, et ma sœur, et ma mère... »

Cela du moins est sûr : l'enfant de douze ans lui parlait déjà sans douceur comme s'il eût voulu marquer la distance entre eux; tout à coup, il était tel qu'un étranger. Marie sait qu'il en doit être ainsi. D'ailleurs il suffit d'une pression de main, d'un regard pour qu'une mère se sente aimée; et celle-ci retrouvait son Fils au dedans d'elle-même à chaque instant : elle n'a pas eu à le perdre, ne l'ayant jamais quitté dans son cœur. Le Christ a l'éternité pour glorifier sa mère selon la chair. Ici-bas, peut-être la traitait-il quelquefois comme il fait encore de ses épouses qu'il a dessein de sanctifier et qui derrière leurs grilles, dans leurs cellules, ou au milieu du monde, connaissent aussi toutes les apparences de l'abandon, du délaissement, — non sans garder la certitude intérieure d'être élues et chéries.

Ce Jésus de douze ans qui croissait en sagesse, en âge et en grâce, et qu'au départ de Jérusalem sa mère croyait être en compagnie des parents et des voisins, était donc mêlé à beaucoup de gens, artisans comme lui, ou laboureurs, vignerons, pêcheurs du lac; — des gens qui parlaient de semences, de brebis, de filets, de barques et de poissons; qui regardaient le couchant pour augurer du vent ou de la pluie. Il sait, dès lors, que pour être entendu des hommes simples, il faut user des mots qui désignent les choses que chaque jour ils manient, ramassent, sèment, moissonnent à la sueur de leur front. Et même ce qui dépasse ces choses, n'est compris des pauvres gens que par comparaison avec elles et par analogie : l'eau du puits, le vin, le grain de sénevé, le figuier, la brebis, un peu de levain, une mesure de farine, il n'en faut pas plus pour que les plus humbles comprennent la Vérité.

Le jeune homme Jésus.

Un Juif de douze ans est déjà sorti de l'enfance. Ce Jésus qui étonnait les Docteurs, aux yeux des Nazaréens devait faire figure d'un garçon très pieux et versé dans la connaissance de la Tora. Mais entre l'incident du voyage à Jérusalem et son entrée dans l'arène, en pleine lumière, dix-huit années s'écoulent, les plus mystérieuses. Car l'enfance est quelquefois si pure, que l'enfant Jésus est imaginable; mais le jeune homme Jésus ? l'homme Jésus ?

Comment pénétrer cette nuit ? Il était pleinement homme, et sauf le péché, il a revêtu toutes nos infirmités, — notre jeunesse aussi, mais non sans doute cette inquiétude, cette ardeur toujours déçue, cette agitation du cœur. A trente ans, il lui suffira de dire à un homme : " quitte tout et suis-moi " pour que cet homme se lève et le suive. Des femmes renonceront à leur folie pour l'adorer. Ses ennemis haïront en lui l'homme qui fascine et qui séduit. Les êtres qui ne sont pas aimés appellent les autres des séducteurs. Rien de cette puissance sur les cœurs ne se manifestait peut-être encore dans ce garçon qui rabotait des planches et méditait la Tora, au milieu d'un petit groupe humain d'artisans, de paysans et de pêcheurs... Mais qu'en savons-nous ? Autant qu'il l'eût recouvert de cendres, le feu qu'il était venu allumer sur la terre ne couvait-il pas dans son regard, dans sa voix ? Alors peut-être ordonnait-il à un jeune homme : " Non ! ne te lève pas ! Ne me suis pas... "

Que disait-on de lui ? Pourquoi le fils du charpentier ne prenait-il pas de femme ? Sans doute était-il défendu par sa piété. La prière ininterrompue, quoiqu'elle ne se manifeste par aucune parole, crée autour des saints une atmosphère de recueillement et d'adoration. Nous avons tous connu de ces êtres qui, occupés aux travaux ordinaires, demeuraient sans cesse en présence de Dieu, — et les plus vils les respectaient, ayant le sentiment obscur dc cette présence.

En vérité, celui à qui un jour obéiraient le vent et la mer, avait aussi le pouvoir de faire régner un grand calme dans les cœurs. Il avait le pouvoir d'empêcher les femmes d'être troublées à sa vue; il apaisait les tempêtes commençantes, parce que ce n'eût pas été le Fils de Dieu qui eût été adoré en lui, mais un enfant entre les enfants des hommes.

3

Fin de la vie cachée.

Le bruit soulevé par la prédication de Jean-Baptiste parvint à Nazareth. S'il existait, dans la quinzième année du règne de Tibère, un coin du monde où les hommes connaissaient ce que le Dieu unique attend, exige de chacun de nous en particulier, non pas des sacrifices ni des holocaustes, mais la pureté intérieure, la contrition du cœur, l'humilité, l'amour des pauvres, c'était dans cette Galilée soumise à Hérode Antipas, le tétrarque, chez ce peuple méprisé des Romains et des Grecs. Athènes et Rome s'étaient avancées aussi loin qu'il est possible d'aller dans la domination, dans la connaissance et dans la jouissance. Ici, ce petit peuple s'enfonçait dans la direction opposée, tournait le dos à cette recherche de la puissance, de la satiété et de l'assouvissement. Sur les bords de la mer Morte, les Esséniens vivaient abstinents et chastes, uniquement occupés de leur âme.

Nous imaginons, dans l'atelier de Nazareth, cet homme aux écoutes de son heure qui approche. Peut-être Marie lui parlait-elle de Jean, du fils de sa cousine Élisabeth, et de cette naissance mystérieuse : Zacharie le prêtre, et son épouse Élisabeth, qui était stérile, avaient déjà atteint la vieillesse. Il fut révélé à Zacharie, pendant qu'il demeurait seul à offrir l'encens et que tout le peuple attendait dans le parvis, qu'un enfant mâle lui naîtrait qui serait rempli de l'Esprit-Saint. Parce que Zacharie avait douté un instant du miracle, il était devenu muet jusqu'à ce que l'événement s'accomplît, et que la vieille Élisabeth eût enfanté un fils; alors, contre l'avis des voisins, le père avait écrit sur une tablette : " Jean est son nom. " Et aussitôt sa langue s'était déliée. Marie se rappelait la visite qu'elle fit six mois plus tard à sa cousine. Mais le cantique qu'elle avait chanté, dès le seuil, ne lui remontait pas du cœur, après tant d'années : " *Mon âme glorifie le Seigneur et mon esprit tressaille de joie en Dieu mon Sauveur — parce qu'il a regardé la bassesse de sa servante — car désormais toutes les générations m'appelleront bienheureuse...* " Non, le silence des dernières heures de la vie cachée ne pouvait être troublé par l'hymne de la joie. Marie comprenait que le temps était venu : le glaive déjà bougeait un peu.

Car ce Baptiste, dont on raconte qu'il est vêtu de poils de chameaux, qu'il porte autour des reins une ceinture de cuir, qu'il se nourrit de sauterelles et de miel sauvage, ne se contente pas de prêcher, avec des menaces, la pénitence, ni de baptiser dans l'eau, il annonce l'imminente arrivée d'un inconnu : " Et je ne suis pas digne de délier en me baissant les cordons de sa chaussure... Moi je vous ai baptisé dans l'eau, mais lui vous baptisera dans le Saint-Esprit... Au milieu de vous, il y a quelqu'un que vous ne connaissez pas... "

Les publicains, les soldats, le petit peuple lui posaient

des questions : “ Que devons-nous faire ? ” Il répondait aux péagers : “ N’exigez rien au delà de ce qui vous est commandé ”, et aux soldats : “ Abstenez-vous de toute violence. ” Et sans doute ces cœurs brûlants étaient-ils déçus, eux qui attendaient sans le savoir la réponse inouïe qu’un autre leur ferait bientôt : “ Si vous voulez être parfaits, quittez tout et suivez-moi. ”

Jean-Baptiste parlait de cet inconnu ouvertement : “ Il vient, celui qui est plus puissant que moi. Sa main tient le van et il nettoiera son grenier, et il brûlera la paille dans un feu qui ne s’éteint point. ”

Derniers jours de la vie cachée. L’ouvrier n’est déjà plus un ouvrier; il refuse toute les commandes et l’atelier prend un air d’abandon. Il a toujours prié, mais maintenant le jour et la nuit, Marie le surprend, la face contre terre. L’impatience que tout soit accompli et qu’il manifestera souvent durant cette montée au calvaire de trois années, peut-être en est-il déjà possédé. Ah ! qu’il lui tarde d’entendre crépiter les premières brindilles de cet incendie qu’il a reçu mission d’allumer ! Jusqu’à cette heure, le Dieu s’est tellement anéanti dans l’homme que sa mère elle-même, initiée au mystère pourtant, l’oubliait, se reposait du poids de cette connaissance accablante : c’était son enfant, comme tous les enfants, qu’elle baisait au front, qu’elle regardait dormir; un jeune homme dont elle reprisait la tunique; il gagnait son pain, il s’asseyait à table pour prendre sa nourriture, parlait avec les voisins; et il ne manquait pas d’autres artisans pieux comme lui et versés dans les Écritures. Sans doute c’est bien le même homme qui, dans ces derniers jours, s’approche de la porte, écoute sans rien dire ce que les gens racontent, le regard au delà, attentif à cette rumeur qui monte de partout au sujet de Jean. Mais déjà une puissance en lui se manifeste dont sa mère est seule témoin. Oui, un homme, plutôt " l'homme ", ce qu'exprime cette appellation mystérieuse " le fils de l'homme ".

Déjà il est loin d'ici, tout entier à ce qu'il aime, à cette humanité qu'il va falloir conquérir, — sur quel ennemi ! Quand il pense à ses ennemis, Jésus n'imagine pas les pharisiens, les princes des prêtres, les soldats qui le frapperont au visage... Osons regarder en face cette vérité : il connaît son adversaire. Son adversaire a plusieurs noms dans toutes les langues. Jésus est la lumière venue dans un monde livré à la puissance des ténèbres. Le démon est le maître apparent de l'univers, en cette quinzième année du gouvernement de Tibère. Il invente pour César, à Capri, ces immondes jeux que rapporte Suétone. Il se sert des dieux pour corrompre les hommes, il se substitue aux dieux, il divinise le crime, il est le roi du monde.

Jésus le connaît, et lui ne connaît pas encore Jésus : il ne l'aurait pas induit en tentation s'il l'avait connu. Simplement, il rôde autour de l'âme la plus pure et la plus sainte dont il ait jamais risqué l'approche. Mais quel saint n'est pas faillible ? C'est cela qui rassure le Maudit. L'orgueil, qui l'a perdu lui-même, s'étale comme un ulcère sur tant de visages qui se croient angéliques !

A ce moment de sa vie, le Fils de l'homme est le gladiateur encore dissimulé au fond des ténèbres, mais sur le point d'entrer dans le cirque aveuglant, — le rétiaire que la bête attend et redoute. " Je voyais, devait s'écrier le Christ dans un jour d'exultation, je voyais Satan tomber du ciel comme la foudre ! " C'est peut-être durant ces dernières heures de vie obscure qu'il eut la vision de cette chute. Voyait-il aussi, (comment ne l'aurait-il vu ?) que l'Archange vaincu entraînerait à sa suite ces millions d'âmes, plus nombreuses et plus serrées que les flocons d'une tempête de neige ?

Il prit un manteau, il noua ses sandales. Il dit à sa mère une parole d'adieu qui ne sera jamais connue.

4

Le baptême de Jésus.

Il se hâte vers la Judée, il avance vers cette région du Jourdain, près de Béthanie, où ses premiers amis l'attendent, et qui n'est pas la même Béthanie où, un peu avant l'heure des ténèbres, ses derniers amis l'adoreront.

Voyage-t-il seul ou accompagné d'autres Nazaréens que le baptême de Jean attire ? Il connaissait dans son cœur ces disciples du Baptiste, venus de Betsaïda à Béthanie, et qu'il allait ravir au Précurseur, à peine l'auraient-ils aperçu; et parmi eux, le plus aimé de tous : ce fils de Zébédée...

Mais d'abord Jean-Baptiste est seul quand Jésus s'approche de lui; il ne le connaît pas encore. C'est plus tard seulement qu'il s'écriera : “ Voici l'agneau de Dieu, celui qui ôte le péché du monde. ” Jésus vient se soumettre au rite baptismal comme tout autre pieux israélite, comme s'il avait des souillures à laver. Il fallait bien que le Fils de l'homme fît un premier geste, qu'il émergeât au-dessus de cette humanité dans laquelle il était, depuis trente ans, plus enseveli que la graine dans la glaise, plus caché qu'il ne l'est aujourd'hui dans l'Eucharistie. Mais il ne lui appartient pas de monter sur une borne et de crier : " Je suis le Christ, le Fils de Dieu. " Il se dépouille de ses vêtements pour entrer dans l'eau, malgré le refus de Jean à qui il doit faire violence. Alors l'Esprit le couvre visiblement de ses ailes dont l'ombre a frémi trente années plus tôt sur la Vierge pour qu'elle enfante. Jean-Baptiste entend une voix (d'autres peut-être l'entendirent) : " Tu es mon fils bien-aimé... " Le Fils de l'homme se retire alors dans la solitude où le démon rôde et harcèle cet inconnu redoutable.

Le premier appel.

Après quarante jours de jeûne et de contemplation, le voici revenu au lieu de son baptême. Il savait d'avance pour quelle rencontre : " L'agneau de Dieu ! " dit le prophète en le voyant s'approcher (et sans doute à mi-voix...). Cette fois deux de ses disciples étaient auprès de lui. Ils regardèrent Jésus, et ce regard suffit : ils le suivirent jusqu'au lieu où il demeurait. L'un des deux était André, le frère de Simon; l'autre Jean, fils de Zébédée. " Jésus l'ayant regardé, l'aima... " Ce qui est écrit à propos du jeune homme riche qui devait s'éloigner triste, est ici sous-entendu. Que fit Jésus pour les retenir ? " Voyant qu'ils le suivaient, il leur dit : " Que cherchez-vous ? " Ils répondirent : " Rabbi, où demeurez-vous ? " Et lui : " Venez et voyez. " Ils allèrent et virent où il demeurait et ils restèrent auprès de lui ce jour-là. Or c'était environ la dixième heure. "

Texte aussi émouvant qu'aucune parole directe

du Christ. Le lieu où il habite ? le désert peuplé de pierres que Satan l'incite à transformer en pains. Ce qui s'échange dans cette première rencontre, dans cette aube de Béthanie, c'est le secret d'amour non humain, — inexprimable. Déjà le feu allumé se propage, saute d'arbre en arbre, d'âme en âme : André avertit son frère qu'il a trouvé le Christ et il amène au désert Simon que, dès ce jour-là, Jésus appelle Céphas.

Le lendemain, l'incendie s'étend, gagne encore Philippe, un homme de Betsaïda, comme étaient André et Pierre. La parole et le geste qui l'attachent au Christ nous demeurent inconnus. Mais la flamme saute de Philippe à Nathanaël. Ce nouvel arbre ne brûle pas tout de suite, parce que Nathanaël est versé dans l'Écriture et proteste que rien ne peut sortir de bon de Nazareth. Son ami lui répond simplement : " Viens et vois. "

Suffisait-il à une âme prédestinée de voir Jésus pour qu'elle le reconnaisse ? Non, Jésus lui donnait un signe ; et celui qu'il donne à Nathanaël est le même qui convaincra bientôt la femme de Samarie : " D'où me connaissez-vous ? " avait demandé Nathanaël d'un ton de méfiance. " Avant que Philippe t'appelât, lorsque tu étais sous le figuier, je t'ai vu. " Nathanaël répond aussitôt : " Vous êtes le Fils de Dieu. "

Il importe peu que l'œuvre très secrète accomplie sous le figuier, n'ait pas été révélée. Ce que Nathanaël découvre, c'est que le tréfonds de son être est livré à cet homme ; il se sent ouvert devant lui, tel que le dernier d'entre nous aujourd'hui encore, prosterné pour l'aveu de ses fautes ou la figure tendue vers l'hostie. Ce signe qui précipite la face contre terre les êtres simples et sans artifice, à qui le Christ, durant sa vie mortelle, ne l'a-t-il prodigué ? Car il répondra aux pensées les plus cachées des scribes et des Pharisiens; mais eux, bien loin de se frapper la poitrine, n'y verront qu'une ruse de Belzébuth. Plus que leur incrédulité, la foi de l'humble Nathanaël étonne le Christ dont nous imaginons le sourire, lorsqu'il lui dit : " Parce que je t'ai dit que je t'ai vu sous le figuier, tu crois ! Mais tu verras de plus grandes choses... "

Peut-être, lorsqu'eut lieu cette rencontre avec Nathanaël, Jésus avait-il déjà quitté le désert où, pendant quarante jours, il avait jeûné et subi les assauts du Prince immonde. Remontant le Jourdain par Archélaïs et Scythopolis, il avait atteint le lac de Tibériade et cette Betsaïda, patrie des disciples qu'il venait de ravir à Jean. Non que l'heure de l'abandon total eût déjà sonné pour eux; leurs filets et leurs barques vont les retenir un peu de temps encore : ce n'est qu'un premier appel.

Rien ne nous éclaire sur les sentiments du Précurseur abandonné, sauf peut-être une certaine hostilité qui se manifestera bientôt dans l'entourage de Jean à l'égard des disciples de Jésus. Mais le Fils de l'homme, qui vient comme un voleur, ne tourne pas la tête vers ceux qu'il laisse à leur solitude après leur avoir ravi une âme bien-aimée. Sa grâce agit dans le secret des cœurs qu'il a frustrés d'un fils, d'une fille; ses consolations affluent par d'autres voies que celles qui nous sont familières. Rien ne lui est plus étranger que les protestations, les excuses, les larmes : à travers des siècles d'affadissement, il faut atteindre cet homme juif doucement implacable qui est venu séparer, comme il le dit lui-même et qui s'y acharne dès sa première démarche, avec (en apparence) une indifférence de Dieu pour ce Pénitent, ce Baptiste auquel il dérobe ses plus chers amis. Il va bientôt le crier sur les toits : il apporte non la paix mais le glaive, il exige d'être préféré aux parents les plus proches et même à un maître comme le Précurseur, et qu'on les quitte pour le suivre.

5

Cana.

C'est ce Jésus, pâle encore d'avoir jeûné et de s'être battu contre l'archange, qui suivait le Jourdain, atteignait le lac de Tibériade avec ses nouveaux amis. Et l'un d'eux était Jean, le fils de Zébédée déjà chéri plus que les autres; puis André, Simon-Pierre, Nathanaël (nommé aussi Barthélemy). Chacun d'eux vit pour la première fois ce drame que le Christ a introduit dans le monde et qui se joue aujourd'hui encore partout où le nom de Jésus est glorifié : la vocation, l'appel, le débat des pauvres hommes engagés en pleine vie, embarrassés de mille entraves, tenus surtout par ces liens du sang qui enchaîne le cœur, et condamnés à une merveilleuse pureté. Mais au bord du lac, ces hommes ont le bonheur d'être seuls avec le Christ. Personne, entre eux et le maître qui les attire ne se substitue à la Grâce.

Jésus ne les presse pas; il les laisse pour un peu de temps à leurs familles, à leur métier. Lui-même rejoint sa mère dans la maison de Nazareth. Ils se retrouveront tous à Cana, en Galilée, où ils étaient conviés à des noces. Saint Jean précise que le Christ s'y rendit avec ses disciples. Mais comme durant le repas, Jésus dit à Marie : " Mon heure n'est pas encore venue ", il faut situer cette fête dès le retour en Galilée, un peu avant que les apôtres aient tout abandonné pour le suivre.

Le premier miracle de Jésus s'accomplit dans une solennité de l'union charnelle, au milieu d'une noce si joyeuse que le vin manqua et qu'il dut transformer l'eau des six urnes de pierre destinées aux ablutions !

" Il manifesta sa gloire, écrit Jean, et ses disciples crurent en lui. " C'était donc pour eux qu'il accomplissait cet acte, pour les préparer à répondre par le don total à un second appel. C'était aussi que Marie l'en priait : " Ils n'ont point de vin... " et qu'en dépit de paroles un peu dures, il trahissait sa faiblesse divine à l'égard de sa Mère.

Déjà son parti est pris de franchir tous les seuils, de s'asseoir à toutes les tables : parce que c'est pour les pécheurs qu'il est venu, pour ceux qui se perdent.

Le scandale commence dès Cana, et durera jusqu'à Béthanie, jusqu'à la dernière onction. Cet homme qui se dit fils de Dieu se commettra chaque jour avec des publicains, avec des courtisanes, avec des débauchés, avec la lie. A Cana, ce sont d'heureux vivants qui ne se privent pas de plaisanter et de rire. Le maître du festin interpelle l'époux : " Tout homme, lui crie-t-il, boit d'abord le bon vin et, après qu'on a beaucoup bu, le moins bon, mais toi tu as gardé le bon vin jusqu'à cette heure. " Impossible de douter que les six urnes de pierre aient accru la joie d'une noce déjà largement abreuvée. Plus d'un abstinent posait au Christ peut-être la question hypocrite qui reviendra si souvent dans les propos des pharisiens : “ Les disciples de Jean jeûnent, pourquoi pas les vôtres ? ” Mais lui sourit et se tait parce que son heure n’est pas encore venue.

Cependant comme il lui avait été annoncé, Nathanaël était témoin d’un prodige plus étonnant que ce qui l’avait ébloui à Béthanie : que ne peut faire le Fils de l’homme désormais ? Le jour où il affirmera que le vin est son sang et que le pain est sa chair, ceux qui furent à Cana ne seront pas longs à croire. Ce premier miracle, en apparence le moins “ spirituel ” de tous, les achemine à leur insu, les introduit à l’inimaginable mystère.

L’appel définitif.

Jésus, suivi des siens, se rendit à Capharnaüm, au bord du lac où Simon, André, Jacques et Jean retrouvèrent leurs bateaux et leurs nasses. Il ne les lâcha que pour un peu de temps; ils ne lui échappèrent plus. Cela nous paraît tout simple, si souvent nous avons lu cette histoire, que Jésus passant au bord du lac et voyant ses amis jeter leurs filets n’ait eu besoin que d’un mot : “ Venez à ma suite et je vous ferai pêcheurs d’hommes ” pour que sans tourner la tête ils quittent tout et le suivent. Au vrai, ce ne fut pas sans leur avoir donné un nouveau signe de son pouvoir, choisi entre tout ce qui devait frapper le plus sûrement ces esprits simples. Il leur avait d’abord emprunté leur barque pour échapper au peuple qui le pressait de trop près. Simon avait ramé quelque peu et Jésus, assis à la poupe, parlait à la foule groupée sur le rivage, à une foule sans doute passionnée, car il divisait déjà l'opinion : à Nazareth, dans la synagogue (où comme tout juif pieux il avait le droit de parler) ses commentaires aux prophéties avaient irrité un peuple qui l'avait vu naître et à qui le charpentier Ieschou n'en imposait guère, malgré toutes les guérisons qu'on commençait de lui prêter. Il avait mis le comble à leur irritation en leur laissant entendre que les gentils leur seraient préférés et n'avait échappé que par miracle à leur fureur.

Maintenant il ne s'y hasardera plus seul : le voici dans la barque avec Simon et les fils de Zébédée. Depuis Béthanie, ces bateliers savent qu'il connaît la vie secrète de chacun; ils ont vu de leurs yeux le prodige de Cana; Jésus a guéri la belle-mère de Simon d'une fièvre; il lui reste de les atteindre dans ce qui compte le plus à leurs yeux : prendre autant de poissons qu'on veut, cela, ils sont payés pour savoir que c'est surhumain ! Justement ils avaient travaillé toute la nuit sans rien pêcher. Et voici que Simon dut appeler à son aide Jacques et Jean pour tirer les filets. Les deux barques enfonçaient tant elles étaient pleines de poissons. Alors Cephas tomba à genoux. Et c'est encore aujourd'hui le signe que Dieu est présent, lorsque nous voyons nos souillures dans leur horreur : « Éloignez-vous de moi, Seigneur, parce que je suis un pécheur. » La réponse de Jésus, comme beaucoup de ses paroles, renferme une prophétie qui s'accomplit encore sous nos yeux : « Désormais, ce sont des hommes que tu prendras. »

Pourtant, l'un d'eux au moins, Simon, était marié. Et lorsque l'appel décisif leur est jeté, Jacques et Jean ne laissent pas seulement leur barque, mais Zébédée leur père. Ils l'abandonnent " avec les mercenaires " précise l'évangéliste, pour mettre l'accent sur l'horreur de cet abandon. " Si quelqu'un vient à moi, devait répéter Jésus un jour, avec une violence singulière, et s'il ne hait pas son père et sa mère, sa femme et ses enfants, ses frères et ses sœurs, et même sa propre vie, il ne peut être mon disciple. " Jamais le Fils de l'homme n'avait appuyé avec un parti pris plus évident de heurter la nature. Cette exigence inouïe n'est pourtant pas le point d'arrivée, mais le point de départ de toute sanctification. Non, ce n'est pas pour rien que ce Christ tant aimé a été si violemment haï. Quelle naïveté que de se scandaliser parce que beaucoup de ceux qui ont vu le Christ dans la chair, ont pu ne pas le chérir ! Beaucoup atténuent la portée de ses plus âpres paroles en les qualifiant d'hyperboliques ; tous les Orientaux ont un langage excessif. Et pourtant : " Cette parole est dure, grondaient les Juifs, et qui pourrait l'écouter ? " Elle irritait donc même des sémites accoutumés à l'hyperbole. Elle paraît toujours aussi dure, toujours aussi haïssable. L'amour absolu rebute les médiocres, choque la fausse élite, dégoûte les délicats. Et sans doute ses ennemis le haïraient bien davantage qu'ils ne le font (et même ses prétendus amis !) s'ils ne substituaient le fade et douceâtre rabbi de modèle courant, à l'homme qui a réellement vécu, et qui a manifesté un caractère " entier " au sens métaphysique : à la lettre, implacable. C'est leur ignorance, aujourd'hui, qui en détourne beaucoup de détester le Christ. S'ils le connaissaient, ils ne le supporteraient pas.

Jésus a tellement pesé ses paroles, qu'il nous avertit d'éprouver nos forces avant de nous jeter à sa suite : « Car, dit-il, qui de vous, s'il veut bâtir une tour, ne s'assied pas auparavant pour calculer la dépense nécessaire et voir s'il a de quoi l'achever, de peur qu'après avoir posé les fondements de l'édifice, il ne puisse le conduire à sa fin et que tous ceux qui le reverront ne se mettent à le railler, disant : cet homme a commencé à bâtir et il n'a pu achever... » C'est l'histoire de tous les faux départs vers Dieu : il est si doux de se convertir, d'être pardonné ! Mais le Christ lui-même nous invite à mesurer d'abord nos forces, sachant à quoi il nous entraîne et que ce n'est pas pour rire qu'il nous a aimés.

6

Les changeurs chassés du temple.

Après un bref séjour à Capharnaüm, où le démon le dénonçait à tous par la bouche des possédés, où les malades le harcelaient, il monta à Jérusalem, car c'était la Pâque, et l'époque des grandes hécatombes : les marchands amenaient dans le parvis du temple des troupeaux de bœufs et de brebis pour les riches. D'autres vendaient les colombes que sacrifiaient les pauvres. Les changeurs se tenaient à la disposition de ceux qui avaient besoin de leur office. Quoi de plus simple ? et qu'y a-t-il là de scandaleux ? " *Du moment que c'est pour le Bon Dieu...* " Petite phrase éternelle. Et voilà que soudain surgit un furieux armé d'un fouet, — non pas d'un fouet d'enfant, mais fait avec des cordes. Ses disciples interdits se gardaient bien de l'imiter. Il chasse le bétail, renverse les tables, crie : " Otez tout cela ! Ne faites pas de la maison de mon Père une maison de trafic ! " Quel scandale ! Tous ces lâches fuient au cul de leurs bêtes. Ses amis eux-mêmes ne savaient pas qu'il était l'Amour. Comment eussent-ils discerné, dans cet éclat, l'amour du Fils pour le Père ?

Il dut s'arrêter haletant, la figure ruisselante. Les Juifs grondaient : " Quel signe nous montrerez-vous pour agir de la sorte ? " Jésus les regardait. Il aurait pu accomplir sous leurs yeux ce qu'ils eussent exigé, guérir tous les infirmes qui se trouvaient là et qu'il attirait de partout, qui le harcelaient, comme des mouches. Sans doute l'eût-il fait, si l'un de ces éclopés s'était détaché de la foule, avait eu l'audace de l'implorer; mais tous tremblaient devant les Docteurs de la loi, — devant lui aussi, peut-être, qui frémit encore, avec ce paquet de cordes dans son poing serré.

Alors il se tourne vers ses adversaires, Pharisiens, Docteurs, Prêtres. Il sourit un peu et dit : " Détruisez le temple, et je le rebâtirai en trois jours. " Enfin ! le voici pris en flagrant délit d'irrévérence et d'imposture. Cet homme se moque d'eux grossièrement, croient-ils. Jésus parlait du temple de son corps. Mais, eussent-ils été de bonne foi (et le plus grand nombre l'était, sans doute...), lequel de ses interlocuteurs pouvait le comprendre ? Le Christ les égare-t-il exprès ? Ce ne peut pas être son désir qu'entendant, ils ne comprennent pas, et que voyant, ils ne voient pas. Il les aveugle parce qu'ils ont mérité les ténèbres. Ils ont mérité les ténèbres parce qu'ils auraient pu ne pas être aveugles.

" Détruisez ce temple et je le rebâtirai en trois jours ! " Les Docteurs, les Pharisiens, les tenants de la lettre échangent des regards et se réjouissent. Deux d'entre eux recueillent cette parole odieuse dans leur mémoire; ils se la rappelleront au jour de la justice, dans trois années, lorsque le Fils de l'homme leur sera livré enfin, et que pressés autour du Grand Prêtre, ils chercheront un témoignage contre l'imposteur. Peut-être Jésus, à cette minute où il tenait encore dans sa main le fouet de cordes, regardait-il cet endroit de sa vie à venir, lorsque ces deux-là viendraient l'accuser : " Cet homme a dit qu'il pouvait détruire le temple de Dieu et le rebâtir en trois jours. " Peut-être entend-il déjà dans son cœur la question du Grand Prêtre : " Ne réponds-tu rien à ce que ces hommes déposent contre toi ? "

Nicodème.

Mais l'heure des ténèbres n'a pas sonné encore. Parmi ces Pharisiens qui entourent le Fils de l'homme, tous ne sont pas des renards. Il ne suffit pas d'être pharisien pour s'attirer sa haine. L'un d'eux, membre du Grand Conseil, Docteur en Israël, était troublé par ce qu'il entendait et voyait. Il aurait voulu s'entretenir avec cet inconnu. Seulement il y avait ses confrères, sa carrière... Une âme droite, sans doute, ce Nicodème; mais d'une autre caste que ces pêcheurs galiléens qui, en suivant leur Maître, n'avaient rien à perdre qu'une vieille barque et des filets reprisés. Un Docteur en Israël est tenu à plus de prudence que les petites gens. La prudence est une vertu, et il n'est pas bon de scandaliser, lorsque l'on occupe une situation en vue.

Et pourtant Nicodème ne peut résister à cette tentation, à cette attirance. Ce n'est pas le moindre miracle de Jésus que de troubler cet homme arrivé. Au milieu de la nuit (pareil à ceux qui vont faire leurs Pâques, en secret, dans une ville éloignée), le grand personnage rejoint Jésus qui ne le repousse pas. Et même, puisqu'il est Docteur en Israël, la vérité lui sera révélée en profondeur.

Ici apparaît l'espèce d'inintelligence particulière à quelques philosophes de profession : le Fils de l'homme se trouve de plain-pied avec des pêcheurs, des publicains, des femmes perdues... Mais le savant Nicodème le déconcerte par la naïveté de sa logique. " Comment peut-on renaître une seconde fois ? Faudra-t-il rentrer de nouveau dans le sein de sa mère ? " oppose cet homme docte à Celui qui lui apporte le secret de toute vie spirituelle : mourir à la chair pour renaître selon l'esprit.

Prudemment, Nicodème se retire avant l'aube. Mais il s'en allait du côté de la lumière. Timide et lâche de nature, conservateur d'une position acquise, son cœur n'en était pas moins touché. La Grâce le travaillerait lentement au long de ces années, jusqu'au jour où, timidement, il oserait prendre la défense du Nazaréen, en plein Conseil, — jusqu'à cette heure des ténèbres, où il se découvrirait enfin : et les parfums que Madeleine devait répandre sur les pieds du Seigneur vivant, lui les répandrait sans plus rien craindre des Juifs, sur le cadavre déchiré de son Dieu. Et déjà Jésus respirait, lorsque Nicodème était là, dans le secret de la nuit, une odeur de myrrhe et d'aloès.

7

La Samaritaine.

En ces jours-là, des difficultés s'élevèrent entre les disciples de Jean et ceux de Jésus. Jean baptisait près de Salem. Jésus ne baptisait pas lui-même, mais il n'empêchait pas ses disciples de le faire, et ils attiraient plus de monde que le Baptiste. Celui-ci s'efforçait d'apaiser les siens par des paroles sublimes : " Celui qui a l'épouse est l'époux. Mais l'ami de l'époux, qui se tient là et qui l'écoute, est ravi de joie d'entendre la voix de l'époux. Cette joie est la mienne... il faut qu'il croisse et que je diminue... "

C'est pourtant le Fils de l'homme qui lui laisse le champ libre. Jésus, pour revenir en Galilée, aurait pu suivre le Jourdain, comme lors de son dernier retour, comme font presque tous les Juifs soucieux d'éviter la Samarie, région méprisée et maudite depuis que des colons assyriens y avaient amené leurs idoles. Les Samaritains avaient fait pis : ils avaient accueilli un prêtre révolté, chassé de Jérusalem, et celui-ci avait dressé un autel sur le mont Garizim.

Si Jésus suivit cette route, à travers les moissons de Samarie, c'était pour rencontrer une âme, non certes moins souillée ni mieux disposée que la plupart; pour elle, cependant, et non pour une autre il entrait en territoire ennemi. La première venue, à la lettre, la première qu'il rencontrerait et dont il allait se servir afin d'en atteindre beaucoup d'autres. Recru de fatigue, il s'assied sur la margelle du puits que Jacob a creusé, un peu avant d'atteindre la petite ville de Sichar. Ses disciples sont allés acheter du pain, il attend leur retour.

La première âme venue... Il se trouve que c'est une femme. Jésus aurait eu beaucoup de raisons de ne pas lui adresser la parole. D'abord il ne convient pas qu'un homme parle sur la route à une femme. Et puis il est juif et elle est samaritaine. Et enfin lui qui connaît les cœurs, et les corps aussi, n'ignore pas qui est cet être gracieux.

C'était l'Homme-Dieu qui levait les yeux vers cette créature femelle. Lui, la Pureté infinie, qui n'a pas eu à tuer le désir sous sa forme basse et triste, n'en est pas moins le désir incarné puisqu'il est l'amour incarné. Il veut l'âme de cette femme avec violence. Il la veut avec cette avidité qui ne souffre ni attente, ni remise, tout de suite, dans l'instant et dans le lieu même.

Le Fils de l'homme exige la possession de cette créature. Elle a beau être ce qu'elle est : une concubine, une femme qui a traîné, qui a roulé, que six hommes ont tenue dans leurs bras, et celui dont maintenant elle est la chose et qui goûte le plaisir avec elle n'est pas son mari. Jésus prend ce qu'il trouve, ramasse n'importe qui pour que son règne arrive. Il la regarde et décide que cette créature s'emparera aujourd'hui même de Sichar en son nom et fondera en Samarie le royaume de Dieu. Toute une nuit, il s'est fatigué à catéchiser un Docteur de la loi, pour lui faire entendre ce que signifie mourir et renaître. La femme aux six maris comprendra du premier coup ce que le théologien n'a pas saisi. Jésus la dévisage : il n'a pas ce haut-le-corps, cette rétraction des vertueux devant une fille dont l'amour est la grande affaire. Pas d'indulgence non plus, ni de connivence. C'est une âme, la première venue, dont il va se servir. Une flèche de soleil traverse un tesson parmi les ordures, et la flamme jaillit, et toute la forêt s'embrase.

La sixième heure. Il fait chaud. La femme s'entend appeler. Ce Juif lui adresse la parole ? Mais oui, il a dit : " Donnez-moi à boire. " Tout de suite coquette et moqueuse, elle répond à cet inconnu suant :

— Comment ? vous me demandez à boire, à moi qui suis samaritaine ?

— Si vous connaissiez le don de Dieu et qui est celui qui vous dit : donnez-moi à boire, vous-même lui en auriez demandé et il vous aurait donné de l'eau vive.

Le Christ brûle les étapes; cette parole est incompréhensible pour la Samaritaine; mais il a déjà pénétré comme un voleur dans cette âme obscure. Ce qu'elle devait éprouver, c'était d'être investie de toutes parts et que l'inconnu dont elle voyait le visage mouillé et dont les pieds étaient gris de poussière l'occupait à l'intérieur, l'envahissait, et que ce flot vivant était irrésistible. Interdite, elle cessait de se moquer et comme toutes les femmes s'abandonnait soudain à des questions d'enfant :

— Seigneur, vous n'avez rien pour puiser et le

puits est profond. D'où auriez-vous donc cette eau vive ? Etes-vous plus grand que notre père Jacob qui nous a donné ce puits, et en a bu lui-même ainsi que ses enfants et ses troupeaux ?

Jésus n'a pas de temps à perdre : il va la jeter, d'une poussée impatiente, en pleine vérité. Il dit :

— Quiconque boit de cette eau aura encore soif. Mais celui qui boira de l'eau que je lui donnerai n'aura plus jamais soif. Et l'eau que je lui donnerai deviendra en lui une source jaillissante en vie éternelle.

Toute parole du Seigneur doit être prise à la lettre... C'est donc que beaucoup ont cru s'être enivrés de cette eau, et ils se sont trompés, et ce n'était pas celle dont parle Jésus, puisqu'en ayant bu, ils ont eu encore soif. Cependant la femme répondait :

— Seigneur, donnez-moi de cette eau afin que je n'aie plus soif et que je ne vienne plus ici puiser.

— Allez, appelez votre mari et venez ici.

Toujours la même méthode pour persuader les simples : celle dont il avait usé avec Nathanaël, lorsqu'il lui avait dit : " Je t'ai vu sous le figuier. " Il leur révélait d'un coup cette connaissance qu'il avait de leur vie, ou plutôt son pouvoir de s'installer en eux, de s'établir au secret de l'être; et c'est pourquoi, lorsque la Samaritaine lui eut répondu : " Je n'ai point de mari " il répliqua :

— Vous avez raison de dire : je n'ai point de mari. Car vous avez eu cinq maris, et celui que vous avez maintenant n'est pas votre mari; en cela vous avez dit vrai.

La femme n'appartenait pas à la race royale de Nathanaël et de Simon, de ceux qui tombent à genoux aussitôt en se frappant la poitrine. Ce n'est d'abord qu'une coupable prise en flagrant délit et qui, pour détourner l'attention de ce rabbi trop clairvoyant, porte le débat sur le plan théologique. Après avoir balbutié : " Seigneur, je vois que vous êtes un prophète... " elle ajoute précipitamment :

— Nos pères ont adoré sur cette montagne, et vous, vous dites que c'est à Jérusalem qu'il faut adorer...

Jésus ne se laisse pas entraîner, il écarte l'objection par quelques paroles... Mais le temps le presse : là-bas les disciples reviennent avec des provisions. Il les entend parler et rire. Tout doit être accompli en dehors de leur présence. La vérité sera donc livrée d'un coup à cette pauvresse.

— L'heure vient et elle est déjà venue où les vrais adorateurs adoreront le Père en esprit et en vérité. Ce sont là les adorateurs que le Père demande. Dieu est esprit et ceux qui l'adorent doivent l'adorer en esprit et en vérité.

Et la Samaritaine :

— Je sais que le Messie va venir et qu'il nous instruira de toutes choses.

Les pas des disciples retentissent déjà sur le chemin. Pour livrer le secret qu'il n'a dit encore à personne, Jésus choisit cette femme qui a eu cinq maris et qui a aujourd'hui un amant :

— Je le suis, moi qui vous parle.

Et en même temps, une grâce de lumière était donnée à cette misérable, si puissante qu'aucun doute ne pouvait même l'atteindre : oui, ce pauvre juif harassé qui avait beaucoup marché au soleil et dans la poussière, et qui mourait de soif au point de mendier un peu d'eau à une Samaritaine, c'était le Messie, le Sauveur du monde.

Elle demeura pétrifiée, jusqu'à ce qu'elle eût entendu ceux qui étaient avec cet homme et qui approchaient. Alors elle se mit à courir, comme un être dont les vêtements ont pris feu, entra dans Sichar, ameuta les gens ; elle criait :

— Venez voir un homme qui m'a dit tout ce que j'ai fait.

On dirait que le Christ, toujours assis sur la margelle, tandis que ses apôtres lui présentent un morceau de pain, a peine à revenir dans l'étroit univers où ils l'obligent à vivre : « Maître, mangez ! » insistent-ils. Mais l'Amour vivant, démasqué par cette femme, n'a pas eu le temps de redevenir un homme qui a faim et soif.

— J'ai à prendre une nourriture que vous ne connaissez pas.

Cette réponse vient encore d'un autre monde. Les pauvres gens s'imaginent que quelqu'un lui a apporté à manger d'un mets mystérieux. Il regarde ces yeux écarquillés, ces bouches entr'ouvertes, et au delà de la moisson de Samarie dans la lumière aveuglante, les épis qui blanchissent; au-dessus des épis des têtes mouvantes : la troupe que la femme entraîne vers lui (son amant est là, peut-être).

Jésus, enfin, touche terre, les entretient des choses de la glèbe qu'ils connaissent, cite un proverbe, les rassure, les amène à comprendre qu'ils vont récolter ce que lui a semé. Il les a déjà faits pêcheurs d'hommes, maintenant ils seront moissonneurs d'épis humains.

Il demeura deux jours au milieu des Samaritains réprouvés, donnant ainsi aux siens un exemple qui sera transmis en vain au reste de la terre. Car s'il est une part du message chrétien que les hommes ont refusée et rejetée avec une obstination invincible, c'est bien la foi en la valeur égale de toutes les âmes, de toutes les races, devant le Père qui est au ciel.

8

Tes péchés te sont remis.

A peine revenu en Galilée, les témoignagnes de son pouvoir se multiplient avec un tel éclat que les Pharisiens, pour l'instant, renoncent à une attaque de front. Mais il leur reste de le prendre en faute : quoi de plus aisé pour ces casuistes, dont les délices étaient de raffiner sur toutes les subtilités de la Tora ? D'autant qu'il ne faisait rien pour esquiver le piège tendu, il s'y jetait avec provocation. Mais il leur demeurait insaisissable parce que les motifs de ses actes leur échappaient. Où voulait-il en venir ? Que cherchait-il ? Quoi qu'ils pussent penser de lui, ils n'imaginaient pas encore ce crime inconcevable pour un Juif : étant homme de se faire Dieu. Tout de même, c'eût été trop fort ! Et pourtant...

Il faut oublier tout ce que nous savons de Jésus, ce qui s'est accompli sur la terre en son nom; il faut se mettre à la place d'un de ces Docteurs venus de Jérusalem ou résidant à Capharnaüm. Ils observent de tout près cet agitateur : de tout près, parce que devant eux le peuple s'écarte, et ils se trouvent portés au premier rang. Le scribe que j'imagine, mêlé à d'autres plus importants, a fini par pénétrer dans la maison où Jésus se tient et que la foule assiège. Mais le flot humain s'est refermé derrière eux. Des hommes qui portent un paralytique essaient en vain de se frayer un passage. Sans doute viennent-ils de loin, au prix de beaucoup de fatigues. Ils ne repartiront pas sans avoir vu celui qu'ils sont venus chercher. Ils l'atteindront, coûte que coûte. Ils prennent un parti désespéré : le malade est hissé sur le toit avec son grabat, ils ôtent les tuiles, et descendent leur fardeau, dans la pièce même où Jésus est assis, soulevant sans doute des protestations, des cris furieux, des menaces.

Le scribe observe le guérisseur, les yeux fixés sur ses lèvres, sur ses mains. Or les paroles qui vont être prononcées sont les plus étranges, les plus inattendues, car elles paraissent n'avoir aucun lien avec l'état du malade. Ou plutôt elles sont comme une réponse rendue tout à coup saisissable, dans un dialogue silencieux entre le Fils de l'homme et cette créature couchée : “ *Aie confiance, mon enfant, tes péchés te sont remis.* ”

Beaucoup de pauvres âmes, face à face avec Jésus, aux jours de sa chair, ressentaient ce qu'elles éprouvent encore aujourd'hui en présence de l'hostie : elles connaissaient leurs souillures tout à coup, en mesuraient l'épaisseur et l'étendue : elles se voyaient. La première grâce reçue était une grâce de lucidité; d'où le cri de Simon : “ Éloignez-vous de moi, Seigneur, car je suis un pécheur. ” Ce fut sans doute la même prière muette que faisait le paralytique; non pas : “ Guérissez-moi ! ” mais “ Pardonnez-moi ! ” Alors s'éleva la parole la plus étonnante qu'aucune bouche humaine ait jamais prononcée : " *Tes péchés te sont remis.* "

Tous les péchés d'une pauvre vie d'homme, les grands et les moindres, les plus honteux, ceux qui ne peuvent être confiés à personne, ceux qui ne sont pas seulement ignobles mais ridicules, — et cet autre qu'il lui était impossible d'oublier et sur lequel pourtant il n'arrêtait jamais sa pensée. Tout est effacé, sans précisions demandées, sans indignation, sans ricanement. Le Fils de l'homme n'oblige pas le pénitent à remâcher sa honte : déjà il l'a entraîné assez haut, assez loin de toute cette foule qui les presse pour que la guérison de son âme l'emporte dans son esprit sur celle du corps.

Cette fois, les Pharisiens comprirent du premier coup la signification de cette parole inouïe. Ils n'osaient s'indigner à haute voix. Cela dépassait tout commentaire. Ils échangeaient des regards et songeaient : " Qui peut remettre les péchés que Dieu seul ? " Le blasphème est si énorme qu'ils n'osent encore crier au blasphème. Mais déjà le Fils de l'homme est passé à l'attaque, leur assenant par deux fois la preuve de sa toute puissance. D'abord, comme il fait toujours, en lisant dans leurs cœurs : " Quelles pensées avez-vous dans vos cœurs ? " et aussitôt, lui qui semblait n'avoir vu que les ulcères de cette âme accroupie, lui qui va droit aux âmes, arrête son regard sur le corps perclus étendu à ses pieds. Il se tourne vers les Pharisiens :

— Lequel est le plus facile de dire : tes péchés te sont remis... ou de dire : lève-toi et marche ? Or, afin que vous sachiez que le Fils de l'homme a reçu sur la terre le pouvoir de remettre les péchés, je te le commande, prends ton lit et va dans ta maison.

Le paralytique se leva au milieu des hurlements de joie de la foule. Et sans doute les Pharisiens profitèrent-ils du tumulte pour disparaître. Mais le scribe que j'imagine était peut-être celui dont parle saint Matthieu et qui, transporté, cria à Jésus :

— Maître, je vous suivrai partout où vous irez.

Il était séduit par le séducteur, il se soumettait à cette toute-puissance, lui rendait les armes. Sans doute s'attendait-il à un regard, à une parole qui le paierait d'un coup d'une soumission si prompte; mais ce qui venait de cet homme, ce n'était jamais ce qu'on attendait de lui. Jésus encore frémissant de ce qu'il vient d'accomplir répond :

— Les renards ont leur tanière et les oiseaux du ciel ont leurs nids; mais le Fils de l'homme n'a pas où reposer sa tête.

Il semble dire : " Tu m'as pris longtemps pour un séducteur, eh bien voilà mes séductions et ce que je promets à ceux qui m'aiment. Encore ce renoncement à tout, est-ce la part la plus douce de ce que je leur réserve. Bientôt, dans ce vide, dans ce néant, je dresserai un lit à leur usage où la place des pieds et des mains est marquée d'avance. "

Il se peut que le scribe ait songé : " J'ai été trop vite... Il a voulu m'éprouver parce qu'il ne me connaît pas. " Or à ce moment-là, une voix s'éleva parmi les disciples familiers du Maître :

— Seigneur, permettez-moi d'aller auparavant ensevelir mon père.

— Suis-moi ! et laisse les morts ensevelir les morts.

La crasse des siècles recouvre le métal éclatant et dur de ces mots : des siècles de commentaires lénitifs, d'atténuations. C'est que la vérité ne se regarde pas en face, la vérité littérale de ces paroles dont aucune ne passera. Mais quoi ! Même de celles-là, il nous est donné de mesurer combien elles sont vraies, lorsqu'au cours d'obsèques officielles nous considérons l'assistance : ces visages rusés, malades, que marque la double usure du temps et des crimes, ces chairs macérées, marinées dans les vices, cette foule de corps (le nôtre est l'un d'eux) dont la corruption est plus avancée que celle du mort qu'ils encensent : car de celui-là du moins, il ne reste que la dépouille; l'âme est ailleurs, purifiée par un feu inconnu. Mais nous qui croyons lui survivre, c'est nous qui sentons mauvais : l'odeur de la pourriture spirituelle dépasse l'autre.

“ Laisse les morts ensevelir leurs morts... ” Peut-être le scribe ne put-il en entendre davantage. Peut-être le disciple s'éloigna-t-il. Pourtant, c'est ici que le Christ parle en Dieu. Il aurait crié : “ Je suis Dieu ! ” qu'il ne se fût pas trahi plus clairement. En faveur de Dieu seul, nous pouvons laisser à des mercenaires le soin d'ensevelir le pauvre corps dont nous sommes nés. Il n'empêche que je cherche parmi mes proches, dans toutes les bonnes familles où j'ai accès, celui ou celle qu'une pareille exigence n'eût pas mis hors des gonds. Chaque parole du Christ lui gagnait des âmes et lui en enlevait beaucoup d'autres : c'était autour de lui un va-et-vient de cœurs, un perpétuel remous.

La vocation de Matthieu.

Et tout à coup le Fils de Dieu qui avait eu ses raisons pour déconcerter ce scribe et ce disciple, s'arrêta au bord du lac devant la petite table où un publicain était assis : ce qu'il y avait de plus vil et de plus méprisé parmi les Juifs, — un subalterne des gens de rapine à qui l'état affermait la perception de certains impôts ; ils harcelaient le peuple et se commettaient bassement avec les gentils : la lie de la société. Jésus regarda donc ce Lévi fils d'Alphée, assis derrière son bureau de péage et lui dit : " Suis-moi ! "

Sans doute le connaissait-il déjà, de même que Simon et les fils de Zébédée étaient ses amis avant d'avoir entendu cet ordre de quitter tout. En passant, le Maître avait souvent dû voir ce regard de pauvre chien levé vers lui, il avait reçu en plein cœur le désir d'une créature pleine d'amour mais qui n'imaginait même pas qu'un publicain pût se permettre de parler au Fils de l'homme et encore moins de le suivre. Jésus qui hait d'une haine impuissante (puisqu'il ne l'a guère entamée encore) la complaisance des faux saints, ne résistait pas dans un homme à cette persuasion de sa propre misère qui anéantit la créature devant la pureté de Dieu.

Lévi (s'appelait-il déjà Matthieu ?) se leva donc et suivit Jésus... Ou plutôt, à la stupeur et au scandale et à la joie aussi des Pharisiens dont le groupe se reformait à distance, c'était Jésus qui suivait le péager immonde, et qui entrait dans sa maison et qui s'asseyait à sa table où toute une racaille était conviée : des gens du milieu de Lévi, de ceux dont certains disent encore " qu'on ne les voit pas ", " qu'ils ne sont reçus nulle part ". Les Docteurs tiennent leur revanche : ils entourent près de la porte les disciples intimidés et leur portent un coup droit : " Pourquoi votre maître mange-t-il avec les publicains et les pécheurs ? " et ils ne trouvent rien à répondre. Alors du milieu des invités, la voix redoutable s'élève :

— Ce ne sont pas les bien portants qui ont besoin de médecin mais les malades. Allez apprendre (de quel ton il renvoie ces théologiens à leurs études !) allez apprendre ce que signifie cette parole : " Je veux la miséricorde et non le sacrifice " car je suis venu appeler non les justes mais les pécheurs.

Il existe une hypocrisie pire que celle des Pharisiens : c'est de se couvrir de l'exemple du Christ pour suivre sa convoitise et chercher la compagnie des débauchés. Lui, il est un chasseur qui force les âmes là où elles se terrent; il ne cherche pas son plaisir avec les créatures faciles. Mais nous, elles nous perdent et nous ne les sauvons pas.

9

Judas.

Les Pharisiens ne pouvaient plus ignorer l'inimaginable prétention de cet homme. Il faut comprendre ce qu'est pour un israélite le " Dieu un " séparé de la créature par des abîmes. Désormais leur méthode sera, à propos de chaque geste du blasphémateur, et de chaque parole qu'ils épient, de le ramener au texte, à la lettre de la Tora. Que ses disciples arrachent quelques épis le jour du sabbat, ou que lui-même guérisse ce jour-là une main desséchée, la meute est là désormais qui donne de la voix, qui marque le coup pour le jour du règlement des comptes. Mais lui, bien loin de se défendre, les brave, et avec quelle témérité !

" *Le Fils de l'homme est maître même du sabbat.* " Pour qui se prend-il donc ? Est-il fou ? Il avait déjà osé dire : " Le sabbat est fait pour l'homme et non l'homme pour le sabbat... " et cela était déjà fort; mais le maître du sabbat ! Dès ce jour-là, sa perte est résolue. Il a pourtant des retours de prudence. Nous n'avons pas le droit de dire que le Dieu, malgré lui, se trahit trop vite, qu'il le jugule, qu'il le laisse respirer parfois à la surface lorsqu'il n'y a personne pour le surprendre qu'une pauvre femme de Sichar. On dirait pourtant qu'en public, il s'efforce encore d'étouffer les cris qui dénoncent en lui l'Auteur de la vie. Mais il ne se retient pas de crier qu'il est le maître même du sabbat.

Déjà il est crucifié dans beaucoup de cœurs. Des conciliabules se forment à Jérusalem. Plus un jour à perdre. Car le temps de semer est court. Il mesure ce qu'il lui reste à vivre. Encore ces quelques mois pour éclairer les pauvres gens dont il a décidé de se servir et qui devront renouveler la face de la terre. Ils l'aiment ardemment, sans doute, et c'est l'essentiel. Mais ils ne comprennent rien encore.

Sauf un peut-être : l'homme de Quérioth, ce Judas nommé le dernier des douze que Jésus choisit entre tous ses disciples. Il est nommé après Simon et André, après Jacques et Jean, Philippe et Barthélémy, après Matthieu et Thomas, après l'autre Jacques fils d'Alphée et l'autre Simon dit le zélé et Jude. Comment ce Judas fut-il gagné ? Il détenait la bourse : c'était donc l'homme pratique, celui sans doute qui montra d'abord le plus de foi en Jésus, puisque étant habile il l'avait suivi : une foi indomptable en la réussite temporelle du Seigneur. Les autres l'avaient aussi, mais moins que Judas. Les plus près du cœur de Jésus, et le fils de Zébédée lui-même croyaient leur fortune assurée. Le trône qui les attendait, ils le voyaient déjà étinceler.

Pour son propre compte, en tout petit, Judas, au long de ces trois années, dut exploiter la source d'eau vive, organiser les bénéfices. Intelligent, mais de vue courte, lorsque tout s'effondra (par la faute même de ce fou, croyait-il, qui avait gâché à plaisir des dons magnifiques et qui s'était mis tout le monde à dos) il ne comprit pas que l'affaire — ce qui pour lui était une affaire — rebondirait, et que tout ce qu'il en avait attendu serait inimaginablement dépassé. Et le Christ le savait aussi. Judas était avec lui dès le commencement, et il y est encore, il y sera jusqu'à la fin.

Il n'essayait pourtant pas de les tromper : " Ne prenez ni or ni argent, leur ordonnait-il, en les envoyant deux par deux annoncer la bonne nouvelle, ni aucune monnaie dans vos ceintures, ni sac pour la route, ni deux tuniques, ni chaussures, ni bâtons... " Judas souriait et songeait : " Si on devait prendre au pied de la lettre tout ce qu'il dit, le cher Seigneur ! "

" Je vous envoie comme des brebis au milieu des loups. " (Judas murmure : " Parle pour les autres. ") " Soyez donc prudents comme des serpents... " et Judas : " Pour cela, tu peux y compter ! "

" Tenez-vous en garde contre les hommes, car ils vous flagelleront dans leurs synagogues. " (" Pas moi, songe Judas, moi je sais comme il faut leur parler ! ") Et il méprise ses compagnons parce qu'il les voit frémir de ce que le maître prophétise : " Le frère livrera son frère à la mort, et le père son enfant, et les enfants s'élèveront contre leurs parents et les feront mourir... " Pourquoi cette stupeur ? se demande Judas, en observant, du coin de l'œil, ses camarades, quelle idée se font-ils donc tous de la famille ? Judas sait depuis longtemps que c'est vrai : qu'il existe des pères et des enfants qui se haïssent. Il aime dans le Christ cette vue simple, ce regard de Dieu sur l'horreur humaine. En ce moment même, le Maître annonçait : " Vous serez en haine à tous à cause de mon nom ! " Eh bien oui... mais cela ne fait pas peur à Judas. Les autres tremblent; mais lui, Judas, consent à être haï, pourvu qu'on le craigne. Or on le craindra puisqu'il détiendra les maîtres-mots : les pouvoirs de Jésus lui-même sur la matière et sur la vie. Ah ! le jour où il sera libre de chasser les démons et de guérir les maladies, il se moquera bien de la haine ou de l'amour d'un monde qui lui léchera les pieds !

" Ne craignez pas, poursuit Jésus, ne craignez pas ceux qui tuent le corps et ne peuvent tuer l'âme; craignez plutôt celui qui peut perdre l'âme et le corps dans la géhenne. " Judas hausse les épaules : Pourquoi craindrait-il Belzébuth puisqu'il aura barre sur lui et qu'ils traiteront tous deux de puissance à puissance ? " Maître de le chasser, je le serai aussi d'obtenir de lui tous les royaumes de la terre... "

Et pourtant l'homme de Quérioth lui-même s'attendrit. Comment ne pas aimer Jésus ? A lui seul il faudrait se confier les yeux fermés. La voix du Maître s'est adoucie pour rassurer ses pauvres amis tremblants : " Deux passereaux ne se vendent-il pas un as ? Et il n'en tombe pas un sur la terre sans que votre Père le permette. Ne craignez donc point : vous êtes de plus de prix que beaucoup de passereaux. Celui donc qui m'aura confessé devant les hommes, moi aussi je le confesserai devant mon Père qui est dans les cieux. Et quiconque m'aura renié devant les hommes, moi aussi je le renierai devant mon Père... "

Judas s'est ressaisi : il n'aime pas beaucoup cet appel au cœur : ici, il comprend moins que les autres. Eux frétillent à la moindre caresse, attachés à leur maître comme des chiens. Et l'Économe s'irrite de les sentir préférés. Mais soudain, Jésus enfle de nouveau la voix : " Ne pensez pas que je sois venu apporter la paix sur la terre. Non la paix, mais le glaive. (" A la bonne heure ! " songe Judas.) Je suis venu mettre en lutte le fils avec son père, la fille avec sa mère, la belle-fille avec sa belle-mère. On aura pour ennemis les gens de sa propre maison. Celui qui aime son père ou sa mère plus que moi n'est pas digne de moi; et celui qui aime son fils ou sa fille plus que moi n'est pas digne de moi... "

Dans la bouche d'un homme, ces paroles eussent été jugées monstrueuses. Si nous ne redoutions, par une image trop hardie, de sembler porter atteinte à l'indissolubilité des deux natures, nous dirions qu'ici encore le Dieu dresse sa tête formidable à la surface du sang, qu'il émerge de la chair. Judas croit comprendre ces paroles de haine... Au vrai, ce sont les autres qui entrevoient que seul l'amour incarné peut les crier sans que la foudre le frappe. Judas imagine un monde bouleversé par le Christ où les élus, où les choisis ne seront jamais plus embarrassés de sentiments humains, où aucun lien de sang ne les entravera plus. Le triomphe de la force, une solitude triomphante ! Bien sûr, pour l'homme de Quérioth, il y a à prendre et à laisser dans ce que le Maître raconte : voilà qu'il parle de croix maintenant ! A l'entendre, quiconque le suit sans prendre sa croix n'est pas digne de lui... Judas sourit : comme s'il s'agissait d'être digne de lui ! Il suivra le Seigneur et laissera la croix aux autres.

Judas tire à lui la parole : " Celui qui sauvera sa vie

la perdra : et celui qui perdra sa vie à cause de moi la retrouvera. " Bien sûr ! Judas renonce à tout, il a tout quitté pour suivre le Seigneur. Il a laissé en plan des affaires qui ne marchaient pas mal. Il s'est brouillé avec des gens importants... tout en se ménageant des influences parmi eux. Et il songe avec amertume que les onze autres qui n'ont rien fait de plus, sont plus aimés que lui.

Jésus dit encore : " Celui qui vous reçoit me reçoit..." Judas médite cette parole précieuse entre toutes, grosse de conséquences magnifiques. Mais en voici une autre qui le ravit : " Et quiconque donnera seulement un verre d'eau froide à l'un de ces petits parce qu'il est de mes disciples, je le dis en vérité, il ne perdra point sa récompense... " Judas songe : " Je suis encore un de ces petits, mais je grandirai vite parce que le verre d'eau froide ne restera pas longtemps un verre d'eau froide... "

Ces mêmes paroles sont reçues par onze autres cœurs qui ne les entendent pas encore, mais qui les accueillent comme une bonne terre sans conscience. Elles renferment le secret des secrets : c'est que l'amour n'est pas un sentiment, une passion, mais une personne, quelqu'un. Un homme ? Oui, un homme. Dieu ? Oui, Dieu. Celui qui est là. Qu'il faut préférer à tout ? Ce n'est pas assez dire : qu'il faut adorer uniquement. Et malheur à qui se scandalise ! Et ceux qui seront " les siens " pourront traverser la vie les yeux fermés, n'ayant plus rien à craindre des hommes. Plus rien à craindre, plus rien à attendre. Ils ont tout donné pour tout avoir, tellement confondus avec leur amour, que celui qui les reçoit, reçoit aussi l'Amour. Ces paroles du Seigneur dites à l'oreille des douze portent en germe l'intrépidité des milliers de martyrs, la joie des suppliciés : désormais, et quoi qu'il puisse leur advenir d'horrible, les amis de Jésus n'auront plus qu'à lever les yeux pour voir le ciel ouvert.

IO

Le sermon sur la montagne.

Quand il redescendit avec les douze, ravis et tremblants, il s'arrêta à mi-côte, sur un plateau. Non seulement la foule des disciples lui barrait la route, mais une multitude venue de Jérusalem, de Tyr et de Sidon. Il a parlé dans le secret à ses amis. Et maintenant il va livrer à la masse des hommes les paroles pour lesquelles il est venu en ce monde. Il n'est presque rien de ce qu'il va dire dont ses auditeurs ne retrouveraient l'essentiel dans tel ou tel verset des psaumes. Des prophètes avaient insinué avant lui des choses semblables. Mais celui-là, ce Nazaréen, parle comme ayant autorité : “ *Et moi je vous dis...* ” C'est l'accent qui est nouveau, le moindre mot a une portée incalculable. Pour tout autre homme, il ne paraît pas plus vain de crier : “ Que la lumière soit... ” que de déclarer : “ Mon commandement est que vous vous aimiez les uns les autres... ” Mais quand c'est Dieu qui parle, la lumière ruisselle docilement sur la terre, et la source d'un amour inconnu jaillit tout à coup au cœur même du dur empire de Rome.

“ *Heureux... heureux... heureux...* ” Ceux qui étaient

au dernier rang et qui n'entendaient que ce mot crié neuf fois, pouvaient croire que ce message était un message de bonheur. Et ils avaient raison de le croire. Par un changement plus étonnant que celui de Cana, la pauvreté devenait richesse, et les larmes joie. La terre appartenait non aux belliqueux, mais aux doux.

Seulement toute béatitude implique une malédiction : " Heureux les pauvres en esprit car le royaume des cieux est à eux " signifie que ceux qui n'ont pas le détachement de l'esprit sont bannis du Royaume. " Heureux ceux qui ont le cœur pur car ils verront Dieu " laisse entendre que les cœurs impurs ne verront pas Dieu. Or ces vertus à qui est promise la béatitude sont celles-là même qui répugnent le plus à la nature. Car enfin qui est pauvre en esprit ? Qui peut se vanter d'avoir admiré dans un homme, même pieux, surtout pieux, la pauvreté spirituelle ? Chez ceux qui se croient parfaits, l'attachement passionné à leurs vues propres fait horreur.

" Heureux les doux car ils possèderont la terre... Heureux les pacifiques car ils seront appelés enfants de Dieu. " O dureté du monde ! la douceur est encore et toujours ce qu'il y a de plus méprisé. Dès l'enfance, dans les petites classes, les doux sont persécutés. Nietzsche est au fond le philosophe du sens commun.

Le monde moderne est-il moins dur que le monde ancien ? Rien n'est changé, sauf que ces Béatitudes ont été criées une fois pour toutes sur une colline, qu'aucune d'elles ne passera, que de génération en génération quelques créatures se les transmettront de cœur en cœur. Et cela suffit : " Vous êtes le sel de la terre. "

Il ne faut qu'une poignée de ce sel dans la masse

humaine, pour qu'elle ne soit pas corrompue. Mais que le sel ne s'affadisse pas ! Ce bonheur qu'il apporte aux hommes, qu'il leur annonce dans ce premier discours, le Christ le voit menacé à chaque seconde. Que signifiait " pureté " pour ces pauvres circoncis attentifs ? Être pur ! Aux jours de Tibère, quelle exigence inconcevable ! " Vous avez appris qu'il a été dit aux Anciens : Tu ne commettras point d'adultère... " Oui, cela, c'est la loi universelle, — universellement violée, mais dont l'énoncé ne pouvait surprendre personne. Or ce Nazaréen va ajouter, à la vieille ordonnance bafouée, un commandement nouveau contre lequel après dix-huit siècles le monde regimbe encore, et dont il se moque, et qu'il secoue en vain sans pouvoir l'arracher de sa chair : depuis que Jésus a parlé, ceux-là seuls désormais trouveront Dieu qui accepteront ce joug : " Et moi, je vous dis que quiconque regarde une femme avec convoitise a déjà commis l'adultère dans son cœur. "

Le crime est, par cette seule parole, établi en deçà de l'acte; la souillure reflue vers l'intérieur, remonte à sa source. Plus qu'aucune malédiction, ces quelques mots réduisent à néant la justice des Pharisiens. Désormais le drame se passe au dedans de nous, entre notre désir le plus caché et ce Fils de l'homme qui se dissimule au secret des cœurs. La vertu des Pharisiens comme le vice des courtisanes et des publicains ne sont plus qu'une apparence. Pour chacun de nous, le mystère du salut va se jouer dans les ténèbres que la mort seule dissipera.

Un peu plus tard, le Christ définira sa justice qui est, très exactement, ce que les hommes appellent l'injustice. Il est trop tôt encore (ils ont déjà reçu leur compte !) pour leur dire l'histoire de ce fils prodigue mieux traité que le sage aîné ou de ces ouvriers de la dernière heure dont le salaire égale celui des journaliers qui s'exténuent depuis l'aube. Il leur suffit, pour l'instant, de s'habituer à cette pensée qu'un homme " de bonne vie et mœurs ", s'il est plein de désirs, d'appétits et de songes, et s'il s'y abandonne dans le secret, est déjà condamné. Car ce qu'il accomplit se confond avec ce qu'il imagine, avec ce à quoi il aspire. Ce qu'il commet dans son cœur est consommé aux yeux de Dieu. Le prix de ces regards et de ces pensées, de cette convoitise des yeux et du cœur qui s'assouvit sans risque, loin de tout contrôle humain, c'est la géhenne.

Nous ne filtrerons pas le message du Christ; nous ne laisserons pas dans l'ombre les menaces. Que la pensée de l'enfer soit ou non supportable, le ciel et la terre passeront mais non la moindre parole du Seigneur; et celle-là comme toutes les autres doit être reçue à la lettre :" Si ton œil droit est pour toi une occasion de chute arrache-le et jette-le loin de toi. Car il vaut mieux pour toi perdre un seul de tes yeux et que ton corps tout entier ne brûle pas dans la géhenne... Et si ta main droite est pour toi une occasion de péché coupe-la... " Qu'exige-t-il donc de nous ? La perfection de Dieu, à la lettre :" Vous donc, soyez parfaits comme votre Père céleste est parfait. " Le démon avait promis à Adam et à Ève qu'ils seraient comme des dieux; et le Rédempteur demande que nous devenions semblables à Dieu. Mais que ne demande-t-il pas ? C'est trop peu que la charité, il lui faut la folie de la charité : tendre l'autre joue, abondonner le manteau au voleur qui a pris déjà la tunique; aimer ceux qui nous haïssent... Est-il dément ? oui, c'est, au regard des hommes, un état de démence qu'il exige et qu'il obtiendra de ses bien-aimés.

Il l'obtiendra parce qu'il les aime. Cette exigence serait intolérable si elle ne venait de l'amour fait chair. Cette géhenne dont il parle tranquillement, sans élever la voix, ne détourne personne de ceux qu'il attire à lui, parce que l'appel d'une passion infinie les rassure. Ce cœur qui a tant aimé les hommes attend de chacun la remise de soi-même par soi-même, l'abandon, le renoncement à tout souci, à toute angoisse. Ce qu'il veut de ces paysans, c'est la vertu d'imprévoyance et qu'ils deviennent pareils aux passereaux, aux lis des champs. Qu'importe la géhenne si Dieu est notre père ? Il peut bien exiger tout ce qu'il voudra désormais. Nous savons où aller. Notre Père est au ciel : cette vérité ineffable, ceux qui la possèdent ne risquent pas de la payer trop cher : " Qui de vous si son fils lui demande du pain lui donnera une pierre ? "

Mais ce Père qui est au ciel nous ne l'atteindrons pas par la voie de la jouissance et de l'assouvissement. La porte est étroite, la voie est resserrée. Pas d'effusions hypocrites, surtout : la pureté du cœur, mais non les cris du cœur : " ce ne sont pas ceux qui crieront : *Seigneur*, *Seigneur*... "

On dirait que le Christ, après avoir trahi son cœur, se reprend comme s'il redoutait que nous en abusions. Le rappel de la géhenne est coupé par des paroles d'une tendresse ardente qui craint d'être mal comprise et se dissimule sous une menace. Les faux prophètes le font pleurer d'avance. Il met en garde contre eux ses amis et leur donne la pierre de touche pour juger un homme qui s'adresse à vous au nom du Christ : c'est la sainteté : " Vous les connaîtrez à leurs fruits. " Le Seigneur parle ici comme un homme qui étant Dieu voit ce qui échappe à l'œil humain. Car comment juger les êtres à leurs fruits ? Et lequel ne mériterait alors d'être jeté au feu ? Même s'il s'efforce à la sainteté... Et puis ne nous est-il ordonné, ailleurs, de ne pas juger ? O loi difficile ! Il ne faut pas juger, mais il ne faut pas non plus être dupe. Perpétuelle mise au point à laquelle l'âme chrétienne est conviée. Ne nous étonnons pas qu'à ce jeu, les simples d'esprit et les cœurs purs peu à peu deviennent subtils. Rien ne se contredit dans ce discours, et pourtant tout s'oppose. Il est malaisé d'être à la fois une colombe, un serpent, un lis. La vérité annoncée sur la montagne a plus de nuances qu'une gorge d'oiseau. Elle ne tient pas dans quelques préceptes rigides qu'il suffit de suivre, et alors on est en règle. C'est une vie pleine d'embûches et de périls, où tout est pratiqué avec prudence mais par amour... Hélas ! est-on jamais sûr d'aimer et d'être aimé ?

Ceux qui ne font pas la volonté du Père savent qu'ils ne font pas la volonté du Père; mais ceux qui croient l'accomplir, à leur insu la violent. L'orgueil de certaines personnes très " avancées " dans la voie parfaite, ou qui croient l'être, dépasse de loin la vanité des mondains. Si quelqu'un les en avertit avec douceur, au lieu de s'examiner, elles offrent cette injure à Dieu, et leur orgueil se gonfle d'un mérite de surcroît. Et comme à la réflexion, elles estiment que la justice a été offensée en leur personne, elles n'hésitent point à commettre tel acte qu'un païen appellerait " vengeance " mais qu'elles baptisent " réparation ".

Encore s'agit-il ici de saints, ou du moins de cette espèce de personnes qui imitent les saints. Mais où commence l'hypocrisie ? Quel arbre humain n'est, par quelques-uns de ses fruits, un mauvais arbre ?

Le centurion.

La loi intérieure que le Fils de Dieu donnait aux hommes sur la montagne, fructifia merveilleusement dans les jours qui suivirent. Les ennemis s'étaient éloignés pour un peu de temps. Cet amour pour le Père qui se répand sur le prochain, ces deux passions qui n'en font qu'une et que Jésus enseigne à ses amis, revêt, au cours de sa vie mortelle, un caractère qu'il ne retrouvera plus jamais, une fois le Christ disparu. Car Il est le Fils de Dieu; mais le centurion est son prochain et tous ceux qui l'approchent. Durant ces trois années, l'Être infini est devenu le prochain des soldats, des publicains et des courtisanes.

Ce centurion, au service d'Hérode Antipas, qui n'est pas juif, aime les Juifs au point de leur avoir fait construire une synagogue de ses deniers. Son serviteur était malade à mourir et il l'aimait beaucoup. Et nous, nous aimons déjà ce centurion pour qui la mort d'un domestique eût été un malheur. Il n'ose de lui-même aller à Jésus et lui envoie quelques-uns de ses amis israélites, pour détourner le Maître de s'abaisser jusqu'à franchir son seuil. Il les charge de ce message que l'humanité prosternée devant l'Agneau de Dieu ne cessera de répéter jusqu'à la fin des temps : " Seigneur, ne prenez pas tant de peine, car je ne suis pas digne que vous entriez sous mon toit. C'est pour cela que je ne me suis pas même jugé digne de venir auprès de vous. Mais dites une seule parole et mon serviteur sera guéri. Car moi qui suis soumis à des supérieurs, j'ai des soldats sous mes ordres : et je dis à l'un : va, et il va ; et à un autre : viens, et il vient... "

" Jésus fut dans l'admiration. " Il n'a pas seulement aimé les hommes, il les a aussi admirés. Et ce qu'il admire en eux, c'est toujours la même merveille : non une étonnante vertu ni une austérité extraordinaire, ni une grande science théologique, mais un certain état de reddition, une défaite, un anéantissement, fruit de cette lucidité spirituelle qui est la grâce des grâces.

Humilité que le vouloir ne saurait atteindre puisqu'elle n'est parfaite qu'à condition de s'ignorer. Se frapper la poitrine est un geste qui ne coûte guère; et que de lèvres orgueilleuses répètent chaque matin les paroles du centurion et celles de son frère le publicain ! " Je vous rends grâces, ô Dieu, de ce que je suis semblable au publicain... " Ainsi prie le Pharisien d'aujourd'hui.

II

Les disciples de Jean.

Ce fut vers ce temps-là que Jésus alla à Naïm et qu'il rendit à sa mère un fils qu'elle avait perdu. Cette veuve ne l'avait pas appelé, elle ne lui demandait rien, car il n'avait pas encore vaincu la mort. Sans doute beaucoup disaient de lui : " Oui, les paralytiques, les possédés... tout ce qu'on voudra ! mais il ne ressuscite personne... "

Ce prodige dut faire plus pour la renommée de Jésus que tout ce qu'il avait accompli jusqu'alors. Il troubla en particulier, dans l'entourage de Jean-Baptiste, plusieurs qui demeuraient hostiles au nouveau venu. Leur maître, au fond de la prison, où Hérode venait de l'enfermer, avait-il été lui-même troublé ? Hésitait-il maintenant à croire ? Quelle pouvait être sa pensée lorsqu'il envoya deux des siens vers Jésus pour lui demander s'il était Celui qui devait venir ou s'il fallait en attendre un autre ? Il arrive d'avoir foi en un homme, et puis d'hésiter à son sujet parce que sa conduite ne semble plus claire. Les disciples de Jean racontaient à leur maître que le Nazaréen mangeait et buvait avec les courtisanes et les péagers, qu'il ne protestait pas contre cette accusation : qu'il s'en vantait plutôt, et empêchait les siens de jeûner " sous prétexte que les amis de l'époux se réjouissent tant que l'époux est avec eux et qu'il sera temps de renoncer à la nourriture et au vin lorsque l'époux leur sera enlevé... " Ces sortes de propos inquiétaient Jean-Baptiste. S'il s'était trompé pourtant ! Si la voix entendue n'avait pas été une voix du ciel ! Les Pharisiens jurent que c'est par Belzébuth que Jésus accomplit ses miracles. Ils l'accusent de séduire les âmes... et c'est vrai qu'il a entraîné les meilleurs amis de Jean. Au fond, que dit-il de lui-même, ce Jésus ? que dira-t-il de lui-même aux envoyés de Jean-Baptiste ? Cette ambassade est une épreuve à laquelle le Précurseur soumet l'Agneau de Dieu : il ne peut pas ne pas croire en lui, mais sa conduite l'inquiète; à moins qu'impuissant à désarmer ses amis, il ne prie en secret : " Seigneur éclairez vous-même ceux des miens qui doutent de vous, que votre façon de vivre scandalise ou déconcerte... "

Jésus multiplia les miracles en présence des deux envoyés, puis il leur dit : " Allez rapporter à Jean ce que vous avez vu et entendu : les aveugles voient, les boiteux marchent, les lépreux sont purifiés, les sourds entendent, les morts ressuscitent, la bonne nouvelle est annoncée aux pauvres. Heureux celui pour qui je n'aurai pas été une occasion de chute ! "

Après leur départ, Jésus parla de Jean-Baptiste, non comme d'un adversaire " qu'il avait eu ", mais comme du plus mystérieux des prophètes, car cet annonciateur ne fait pas partie du royaume : " le plus petit dans le royaume de Dieu est plus grand que

Jean-Baptiste... " Ce grand arbre dépouillé s'élève seul en plein désert : ses racines touchent à la loi ancienne, et ses branches les plus hautes atteignent à peine le Christ qui parle de lui avec plus d'admiration que d'amour. Ils se sont vus pourtant, dès l'enfance et ils se sont reconnus; Dieu s'est humilié devant son dernier prophète, mais sans qu'il y ait eu l'union, la fusion totale de deux cœurs; comme s'ils eussent été séparés, hors du temps et de l'espace : il est celui qui marche devant, qui ne peut ni attendre l'Agneau, ni revenir sur ses pas. Le Précurseur ne saurait suivre. Il brûle et se consume entre les deux Testaments.

Le Fils de l'homme s'irrite du grief des disciples de Jean touchant le jeûne : on peut entrer dans le Royaume par le rire ou par les larmes. Mais les Juifs ne veulent ni des larmes, ni du rire. Encore aujourd'hui, le cantique au Soleil de François d'Assise ne désarme pas ceux d'entre nous que Saint Jean de la Croix rebute.

" A qui donc comparerai-je les hommes de cette génération ? demande Jésus. A qui sont-ils semblables ? Ils sont semblables à des enfants assis dans la place publique et qui se disent les uns aux autres : nous avons joué de la flûte et vous n'avez pas dansé; nous avons chanté des complaintes et vous n'avez pas pleuré. Car Jean-Baptiste est venu, ne mangeant point de pain et ne buvant point de vin, et vous dites : il est possédé du démon. Le Fils de l'homme est venu mangeant et buvant, et vous dites : c'est un homme de bonne chère et un buveur, ami des publicains et des gens de mauvaise vie. "

Le repas chez Simon.

Le Fils de l'homme qui acceptait de manger et de boire avec les pécheurs ne refusait pas de s'asseoir à la table d'un Pharisien comme ce Simon, dont saint Luc nous parle seul, et qui reçoit le Nazaréen avec une déférence prudente... Car il se garde de se montrer trop aimable et de faire trop de frais, — afin de pouvoir soutenir plus tard qu'il ne l'a reçu que par curiosité : il est poli strictement, sans se jeter à sa tête, plutôt même un peu froid...

Si Jésus, pourtant, s'assied à cette table, c'est qu'il voit venir vers lui, depuis toujours, la femme avec un vase d'albâtre, une entre des milliers d'autres, qui s'est donnée, qui a profané son corps et son cœur, qui a souffert à mourir pour les créatures. Elle erre à travers les synoptiques et le quatrième Évangile, avec son parfum, avec ses beaux cheveux et sa figure pleine de larmes. Dans saint Luc, elle entre chez le Pharisien. Mais Matthieu et Marc l'introduisent, à la veille de la Passion, chez un autre Simon, dit le lépreux, et qui habite Béthanie. Quant à Jean, il la nomme Marie. Et les uns croient qu'elle est cette Marie-Madeleine de qui Jésus chassa sept démons; et d'autres la sœur de Lazare le ressuscité et de Marthe. Que nous importe au fond ? Elle a tellement hanté les cœurs, cette femme, que le récit qu'on a fait de son geste a pu subir des altérations; mais l'essentiel demeure : cette rencontre de la pureté incarnée et du péché incarné, pour la consolation de ceux qui ne cessent de lutter, d'édifier des digues fragiles contre une marée inlassable de sang et de désir.

Jésus était couché, les genoux ramenés, et ses pieds nus dépassant le lit. La pécheresse s'avance par derrière. La femme couverte de souillure n'affronte pas l'Agneau de Dieu : " ... et se tenant derrière lui, à ses pieds, tout en pleurs, elle se mit à les arroser de ses larmes et à les essuyer avec ses cheveux, et elle les baisait et les oignait de parfum... "

Simon observait cette scène et poussait un soupir de soulagement : la cause était entendue ! Si cet homme avait été un prophète, il aurait frémi de dégoût à ce contact.

" Alors Jésus lui dit : " Simon, j'ai quelque chose à te dire. " — " Maître, parlez ", dit-il.

— Un créancier avait deux débiteurs; l'un lui devant cinq cents deniers, et l'autre cinquante. Comme ils n'avaient pas de quoi payer cette dette, il la leur remit à tous deux. Lequel l'aimera davantage ? "

Simon répondit : " Celui, je pense, auquel il a le plus remis. " Jésus lui dit : " Tu as bien jugé. " Et se tournant vers la femme, il dit à Simon : " Vois-tu cette femme ? Je suis entré dans ta maison, et tu ne m'as pas donné d'eau pour laver mes pieds; mais elle les a mouillés de ses larmes et les a essuyés avec ses cheveux. Tu ne m'as pas donné de baiser; mais elle, depuis qu'elle est entrée, elle n'a point cessé de me baiser les pieds. Tu n'as pas oint ma tête d'huile mais elle a oint mes pieds de parfum. C'est pourquoi, je te le dis, ses nombreux péchés lui sont pardonnés, parce qu'elle a beaucoup aimé; mais celui à qui on pardonne peu, aime peu. " Puis il dit à la femme : " Tes péchés te sont remis. " Et ceux qui étaient à table avec lui dirent en eux-mêmes : " Qui est celui-ci qui remet même les péchés ? " Et Jésus dit encore à la femme : " Ta foi t'a sauvée, va en paix. "

" Parce qu'elle a beaucoup aimé "... Beaucoup aimé le Christ, cela va sans dire. Mais la parole ne s'étend-elle pas aussi à ce qu'il peut y avoir d'oubli de soi, de sacrifice et de douleur dans la passion la plus triste ? Tout est-il perdu pour Dieu dans cet abandon fou d'un être à un autre être ? Oui, il faut le croire : tout est perdu.

Et soudain la parole éclate qu'a entendue aussi le paralytique, la plus scandaleuse de celles que ce Nazaréen ose proférer : cinq mots dans lesquels Dieu se trahit irrésistiblement : " Tes péchés te sont remis... "

Les Juifs ne s'étonnaient plus des miracles, Jésus les multipliait et ils en prenaient l'habitude. Et puis on ne sait jamais : il y a des trucs, il y a Belzébuth, tout peut s'expliquer. Mais une simple parole, une affirmation sans preuve les déroute plus qu'aucun prodige. Qu'est-ce donc qu'un mort qui ressuscite auprès d'une âme qui renaît ? Cette fois, le Fils de l'homme est indifférent aux pensées cachées des cœurs qui l'entourent, — tout entier tourné vers la pauvre femme en larmes, avec son vase vide, ses cheveux défaits. Il regarde ce corps écroulé à ses pieds, ce corps dont il connaît l'histoire, ce temple profané où depuis un instant la Trinité fait sa demeure.

Pourtant que les endurcis ne se prévalent pas de cet exemple. Celle à qui il a été le plus remis aime davantage. L'amour de cette pénitente est à la mesure des crimes pardonnés. Mais pour la plupart d'entre nous, c'est l'ingratitude qui est la mesure de nos crimes, et nous tombons d'autant plus bas que la miséricorde nous avait tirés plus haut. Si pourtant cette femme, un soir, devait de nouveau céder au désir... eh bien, ce sera elle que nous verrons revenir, avec une livre de nard, à la veille de l'agonie du Seigneur, pour une onction dernière, pour un dernier pardon.

12

Les démons de Marie-Madeleine.

Un trait nous incline à confondre la pénitente aux cheveux défaits avec Marie-Madeleine : c'est que de celle-ci il est toujours question dans l'Évangile comme de la femme que le Seigneur délivra de sept démons. Or, la pécheresse qui entre dans la salle avec ses parfums, n'est pas inconnue du Fils de l'homme. Ce n'est pas nécessaire qu'il lui dise comme à d'autres : " Tes péchés te sont remis... " Car cette rémission est désormais obtenue. La créature en larmes est bien une délivrée des démons. Depuis assez longtemps déjà : il semble qu'elle ait alors atteint sur le chemin du retour cet endroit de la route où l'âme, dans la lumière de l'amour, découvre à la fois la multitude de ses crimes et les pénètre un à un, dans leur horreur, les suit à la trace au plus profond des âmes entraînées et souillées, se perd dans le réseau sans fin du scandale, dans les ramifications de la responsabilité.

Cette femme possédée par l'amour avec plus de puissance qu'elle ne le fut des sept démons, nous ignorerons toujours comment elle passa d'une possession à l'autre, car l'Évangile est muet sur ce point. Le combat fut-il rapide ou longuement disputé ? Nous voudrions savoir si le maître de toute chair usa de son pouvoir de Dieu pour juguler celle-là, — ou si au contraire il la laissa libre et se fia à l'amour qui, à son appel, commençait de sourdre à travers tant de décombres, lavant toute souillure, recouvrant toute honte.

Cette honte nous est connue, et cette souillure. Le Pharisien méprisait la femme agenouillée et en larmes, parce qu'aux yeux des purs elle était intouchable. Les sept démons de Marie-Madeleine tiennent tous dans l'unique démon. Il n'existe qu'un démon comme il en existe mille, et toutes les possibilités du mal fructifient dans cette luxure dont le nom seul empourpre le visage des saints.

Il ne s'agit pas ici des pauvres faiblesses, des manquements auxquels toute créature est sujette, de ces misères qui humilient les jeunes gens et couvrent de honte les hommes âgés, — mais de cette possession dont certains sont la proie : ceux qui, au sens absolu, sont fous de leur corps, dont toute la raison d'être au monde n'est plus que de rechercher l'absolu dans la chair. Ceux-là sont bien possédés des sept démons auxquels nous donnons les noms de sept péchés.

D'abord l'orgueil : une créature prostituée goûte jusqu'à la folie sa puissance sur les cœurs, cette licence de les faire souffrir, de les livrer à la jalousie, de séparer ceux qui s'aimaient. Sur ce plan, qui est le pire, de la cruauté féminine ou de la vanité du mâle ? Il nous est arrivé d'entendre telle confidence faite du ton le plus détaché : « Il est mort pour moi... Elle s'est tuée pour moi... »

Assassins. Et si tous les luxurieux n'ont pas versé

le sang d'un corps adulte, ils ont tous anéanti, dans l'acte détourné de sa fin, les âmes qui auraient pu naître. Et ils en ont détruit qui étaient déjà nées.

L'instinct de ne pas se perdre seul tient aux entrailles des charnels : cette foule innombrable que le Christ nous montre se pressant, se bousculant sur la route large de la perdition, ceux qui la composent ne sont pas réunis là par hasard : ils se cherchaient, et ils se sont trouvés : complices et couples, ils ont besoin les uns des autres pour se perdre. Comme les animaux se groupent selon leur espèce, eux sont parqués selon leurs vices. Chaque vice particulier lève son emblème au-dessus du troupeau de ses fidèles. Le jour du jugement les surprendra ensemble et il ne sera pas nécessaire d'emboucher la trompette pour les appeler des quatre coins du monde : la grappe sombre de chaque essaim est déjà toute formée, l'Ange noir n'aura qu'à la cueillir.

Bien que le ciment d'un vice commun les unisse jusqu'à les confondre, l'envie, la jalousie, la haine, creusent entre eux des abîmes. Et c'est leur folie de ne se sentir victorieux que dans la torture qu'ils s'infligent l'un à l'autre.

De moindres démons se traînent dans le sillage de cette luxure haineuse et homicide. La gourmandise dont on plaisante devait être chez Marie-Madeleine, comme chez tous les grands pécheurs, non le goût d'une saveur passagère, mais la recherche d'un état durable d'une béatitude désarmée. Des femmes qui haïraient l'alcool, l'avalent comme un philtre... Et soudain les derniers gardiens de l'âme s'endorment, la honte s'éloigne, entraînant avec elle le souvenir des êtres aimés; les barrières s'ouvrent une à une : l'alcool, les stupéfiants, livrent à leurs fidèles les clefs du royaume d'en bas.

La pécheresse aux cheveux défaits, puisqu'elle a été délivrée des sept démons, est sans doute Marie-Madeleine. Et nous cherchons à imaginer le miracle : son passage d'un monde à un autre monde : “ Quel état et quel état ! ” s'écrie Bossuet. Au vrai, peut-être n'y eut-il pas de “ scène ” : ce qui peut se raconter des actes du Christ n'est rien auprès de ce qu'il accomplit au dedans des âmes. Déjà le Fils de l'homme vivait, agissait, comme vit et agit le Christ invisible. L'histoire de Marie-Madeleine s'est jouée au dedans de nous, ou elle aurait pu s'y jouer. Notre propre délivrance, ou notre enchaînement nous aident à nous représenter ce que fut cette délivrance de la femme possédée.

Car il s'agissait bien d'une possession : “ Marie-Madeleine dont il avait chassé sept démons ”. La prostituée était possédée. La luxure n'est-elle donc pas un péché comme les autres ? Cette impuissance à guérir dont gémissent les impurs, même attirés par Dieu, ce perpétuel retour au vomissement, est-ce là le signe non d'une tentation ordinaire, mais d'une occupation — occupation de l'individu, occupation de la race ?

Il existe un texte atroce de Saint-Cyran où l'hérétique nous montre, dans une même famille, la succession presque ininterrompue des damnés, de pères en fils. Cet homme redoutable a pu concevoir une sorte de damnation héréditaire sans que sa foi fléchisse devant une telle horreur. Mais il est très vrai que le mystère de l'hérédité nous oblige de croire à un mystère de miséricorde correspondant : il y a des races possédées. La mort d'un être déchu ne détruit pas le germe de sa déchéance. Et les enfants de sa chair sont aussi les enfants de sa convoitise, chargés de transmettre l'horrible flambeau à ce qui sortira d'eux.

Pour échapper à ce cauchemar il n'est que de contempler l'âme pénitente délivrée des sept démons. Marie-Madeleine a triomphé des fatalités de la chair. L'amour n'étant vaincu que par l'amour, elle a allumé le contre-feu. De même qu'au jour où la créature était toute sa vie, le monde entier pour elle s'anéantissait autour d'un seul être (c'est en effet le plus banal mystère de l'amour humain que cette dépréciation formidable de tout le reste, cette insignifiance de tout ce qui existe, hors l'objet de notre passion), aujourd'hui le Christ bénéficie de cette folie. De nouveau le monde s'anéantit mais c'est autour d'un homme qui est Dieu. Et la chair même de cette femme est comprise dans cet anéantissement. Le vieux désir est mort. La pureté et l'adoration se rejoignent, se réconcilient dans ce cœur apaisé. Marie-Madeleine entre dans la salle où Jésus est à table et va droit à lui sans regarder les autres convives. Il n'y a plus que Jésus dans le monde et elle qui aime Jésus. Et voici que son amour est devenu son Dieu.

C'est une pénitente. Ceux qui s'étonnent de leur impuissance à persévérer cherchent dans la conversion une source de délices. Mais dans une âme ensemencée par les sept démons, l'ivraie à peine détruite de nouveau foisonne, si la terre n'est creusée, labourée, retournée dans l'effort et dans les larmes.

A cette heure de sa vie, Marie-Madeleine a dû

passer le moment où la créature, déjà tout entière à Dieu, entend encore parfois une vieille passion hurler la faim. Madeleine est morte à ce qu'elle a quitté. Rien ne la séparera plus de Celui qu'elle cherchait de créature en créature.

Elle suit Jésus partout où il va, un peu hagarde, il me semble, et ne s'arrête que lorsque lui-même, fixé au poteau par trois clous, ne peut plus avancer, ne peut faire un pas de plus, fût-ce dans la souffrance. Alors Marie-Madeleine immobilisée elle aussi contre le but enfin atteint, contre cet arbre plein de sang, l'embrasse étroitement jusqu'à ce que le corps déchiré de son Dieu ait été descendu, et qu'on l'ait enfermé dans le sépulcre proche. Tant qu'elle sait où repose le corps sacré, même sans vie, rien n'est perdu pour elle, parce qu'elle croit peut-être qu'il fait semblant d'être mort. A peine s'éloigne-t-elle du tombeau, le temps d'aller acheter les parfums. Et dès l'aube la revoici au sépulcre avec Salomé, avec la mère de Jacques. Alors seulement elle s'éveille, devant ce trou béant, devant cette porte démasquée sur du vide. Ils ont enlevé son Seigneur ! Elle ne sait où ils l'ont mis ! Elle cherche du secours, s'adresse au jardinier et elle ignore que c'est Lui (selon la parole que devait entendre l'auteur de *l'Imitation :* “ Quand vous croyez être loin de moi, c'est souvent que je suis le plus près de vous... ”).

Chaque personnage engagé dans le drame de la Rédemption apparaît comme un prototype dont nous coudoyons encore dans la vie les répliques multipliées. Les âmes frappées à l'effigie de Marie-Madeleine n'ont pas cessé d'emplir le monde depuis qu'elle y a passé.

Désormais les plus souillés des êtres savent qu'il leur appartient d'être les plus aimés parce qu'ils ont été les plus souillés. Marie-Madeleine établit entre le degré d'abaissement d'où le Christ a tiré certaines de ses créatures et l'amour qu'elles lui doivent, une proportion qui, si elle est consentie, suscite la sainteté de l'infamie même.

Parmi les impudiques, une courtisane est celle dont on peut dire sans jugement téméraire qu'aucune honte ne l'a fait reculer, qu'il n'existe pas pour elle de degrés dans l'abaissement. Sa vocation a été de ne dire non à rien de ce qu'invente l'homme engagé dans cette poursuite de l'infini, dans cette recherche de l'absolu à travers le sensible. Inimaginable retournement ! Marie-Madeleine reste fidèle à sa vocation : elle continuera de ne rien refuser, mais ce sera à Dieu et non plus aux hommes. Elle reprendra la même quête inlassable, mais cette fois sur les pas de son Seigneur et de son Dieu. Vierge toujours folle, la folie de la croix se substitue à celle du corps, — livrée comme naguère à tout excès, sur un plan où tout excès est désormais permis, où le dépassement de soi-même par soi-même ne connaît plus de règle, où il n'existe aucune autre limite à la pureté, à la perfection, que la pureté et la perfection même du Père qui est au ciel.

Paraboles.

Sans doute se joignit-elle, cette pénitente, au groupe des femmes qui assistaient Jésus de leurs biens et dont quelques-unes étaient de meilleure naissance que les disciples (Luc nomme Jeanne, femme de Chusa, intendant d'Hérode).

Entouré de toutes ces âmes qu'il a délivrées, Jésus, au bord du lac, annonce le Royaume de Dieu. Sur la montagne, il avait attaqué de front les Pharisiens. Maintenant, il cherche l'abri des paraboles, — comme Isaïe à qui Dieu irrité ordonne : " Parle pour n'être pas compris, répands tant de lumière qu'ils en soient aveuglés. " Jésus s'adresse à des enfants et leur raconte des histoires. On va chercher bien loin la raison des paraboles : un Dieu s'abaisse, s'assied par terre, se met au niveau des plus petits, les entretient de ce qu'ils connaissent, de la semence, de l'ivraie dans les emblavures, du levain; il enrobe la vérité dans un conte, si simple, que les savants ne le comprennent pas. Le Fils de l'homme recouvre sa doctrine, il la cache sous la cendre des images, parce qu'il ne faut pas devancer son heure, il ne faut pas qu'on le mette à mort encore.

D'ailleurs ses disciples, et les Douze eux-mêmes doivent être ménagés. Rien ne peut détourner ces Juifs têtus de croire à une victoire temporelle de leur roi avec une conviction enracinée au point qu'à la veille de sa mort, les fils de Zébédée en seront encore à réclamer un trône. Patiemment, Jésus compare devant eux le royaume de Dieu au grain qui se multiplie de lui-même et qui ne mûrit qu'avec le temps; à la plus petite de toutes les semences qui à la longue deviendra ce grand arbre plein de nids d'oiseaux. Il les prépare surtout à la vérité la plus triste : un autre semeur existe, celui qui sème l'ivraie dans le champ du Seigneur; et l'on ne discerne le blé de l'ivraie qu'une fois la moisson finie... Alors l'ivraie brûlera. Je songe à ces feux d'herbes dont la fumée demeure immobile sur la campagne dans ces soirs d'été où il n'y a pas un souffle. L'ivraie était l'ivraie avant que le grain en eût germé. Le grain était déjà donné à l'ennemi pour qu'il le sème. L'herbe mauvaise, les cœurs mauvais...

Mais le Royaume de Dieu, c'est aussi un peu de levain mêlé à la pâte. Toute la pâte humaine sera soulevée par une grâce obscure et toute-puisssante. Les cœurs en apparence les plus éloignés du Christ seront dilatés. Il ne s'agit pas de triompher avec éclat. Il faut ensevelir l'amour dans le monde. Le Christ hésite encore à leur dévoiler que lui-même y sera enseveli jusqu'à la consommation du temps, et que l'hostie vivra au plus épais de la masse humaine. Paraboles, à la fois douces et redoutables, à cause de ce choix qui est manifeste, de cette volonté d'éclairer les bons et d'aveugler les méchants : " A vous il a été donné de connaître le mystère du Royaume de Dieu, tandis qu'aux autres il est annoncé en paraboles afin qu'en voyant ils ne voient point et qu'entendant ils ne comprennent point. " Que d'autres tournent et retournent ce texte, d'une limpidité parfaite et terrible. C'est la parole d'un Dieu qui choisit, qui départage, qui préfère une âme à une autre âme, — parce qu'il est l'amour.

La tempête apaisée.

Ses amis qui ne comprenaient rien, comprenaient pourtant cela qu'il était l'amour et qu'il faut être fou non de terreur mais de confiance. Ils se pressaient contre lui comme des enfants, comme des brebis. Un jour qu'il avait voulu passer de l'autre côté du lac, une tempête se leva, la barque s'emplissait d'eau. Et cependant Jésus dormait à la poupe, sur le coussin. Ils le réveillèrent de leurs cris : « Maître, nous périssons ! » Alors il se leva et commanda à la mer et il se fit un grand calme. Eux, regardaient avec effroi cet homme debout, aux cheveux pleins de vent. Leur crainte avait changé d'objet, car ils ne le reconnaissaient pas. Où était le maître familier, tendre et violent ? Au-dessus du sang et de la chair, le Dieu inconnu émergeait et leur faisait peur. La guérison des maladies, et même la résurrection des morts, cela peut être donné à un grand prophète; eux-mêmes y réussissaient... Mais commander aux vents et à la mer et en être obéi... « Qui est-il ? » se demandaient ces pauvres gens. Et pourtant ils reconnurent la voix passionnée, un peu irritée : « Où donc est votre foi ? » Au fond, le Christ n'en voulait pas à ses créatures de frémir devant cette brusque échappée sur une puissance monstrueuse. C'était plus que des êtres éphémères en peuvent souffrir. Et lui, il savait que le Fils de l'homme accomplit un plus étonnant prodige lorsqu'il apaise un cœur que la passion ouvre jusque dans ses abîmes : car ni le vent ni la mer ne lui résistent, mais les cœurs déchirés par l'amour, mais la chair soulevée par le désir ont une puissance forcenée de refus. Alors le vent crie : « Non ! » et soufflette la face du Dieu impuissant.

Chez les Géraséniens.

Jésus aborda au pays des Géraséniens, ou des Gadaréniens, vis-à-vis de la Galilée, sans doute près du village aujourd'hui en ruines de Koursi. A quoi lui servait-il d'avoir traversé la mer ? Sur cette rive gîtait l'éternel ennemi qui ne le tentait plus maintenant qu'il le connaissait. Un possédé nu sortit des sépulcres vides qui se trouvaient là. Le démon lui avait donné la force de rompre les chaînes dont on l'avait chargé. Il courut vers le Seigneur et se prosterna à ses pieds : " Qu'y a-t-il entre vous et moi, Jésus, Fils de Dieu Très-Haut ? De grâce, ne me tourmentez pas ! " Il prétendit s'appeler " légion " : c'était un démon innombrable qui, après la délivrance de l'homme possédé, obtint la grâce d'entrer dans des porcs; tout le troupeau se précipita au fond du lac et se noya. Les gardiens effrayés jetèrent l'alarme et toute la population supplia Jésus de s'en aller. Le Fils de l'homme n'inspirait donc pas seulement l'amour ou la haine, mais aussi l'effroi. Ce Dieu anéanti dans la chair et que les Pharisiens ne voyaient pas, créait des remous autour de sa présence formidable. Que savons-nous du sombre monde angélique ?

Les gens de Koursi eurent peur du Christ : la peur est une forme basse de la foi. Ces paysans ne cherchaient pas à savoir qui il était; c'était un homme qui avait affolé leurs porcs. Aujourd'hui, les porcs... que serait-ce demain s'il s'attardait au milieu d'eux ? Des paysans : ils tenaient plus à leur bétail qu'à leur âme. Mais le Fils de l'homme n'en est pas irrité, et le

“ dépossédé ”, qui a revêtu une robe, et qui, accroupi auprès du Seigneur, le supplie de le garder avec lui, reçoit l’ordre de demeurer là où il est, de raconter sa délivrance, de prêcher le Royaume de Dieu à ce pauvre peuple. Ainsi, cet homme fut-il un précurseur de Paul de Tarse : il faut vénérer en cet inconnu le premier apôtre des gentils.

Ce Jésus, accoutumé à l’adoration ou à la haine, dut souffrir d’avoir terrifié les Géraséniens. Ils l’avaient prié, mais l’objet de leur prière c’était qu’il s’éloignât d’eux. Ils ont une postérité plus nombreuse qu’on n’imagine : tous ceux qui ont reçu un appel, qui ont vu, qui ont touché, qui savent enfin que la vérité est vivante, qu’elle est quelqu’un. Mais ce sont de pauvres hommes engagés dans leur métier, dans leurs convoitises; ils ont une famille à soutenir, des passions qu’ils n’arrivent pas à étouffer. Ils redoutent plus que le feu cet amour qui creuse son sillon en pleine chair, qui émonde, qui taille dans le vif. Qu’on les laisse avec leurs porcs ! La croix est une folie et ce n’est pas leur affaire que de jouer les anges. Ils sont raisonnables en outre. Ce royaume de Dieu comporte tout un monde grouillant de démons, et les diableries leur répugnent.

La fille de Jaïre et la houppe du manteau.

Jésus monta donc tristement dans la barque pour s’en retourner, et quand il aborda enfin de l’autre côté du lac, avec quelle joie il vit venir à lui la foule passionnée et familière ! Ah ! il ne leur refusera rien de ce qu'ils demandent, ceux-là qui n'ont pas peur de lui, qui le pressent au contraire et l'empêchent d'avancer ! Voici un chef de la synagogue, Jaïre, devant lequel s'écarte le petit peuple. Il se jette aux pieds du Seigneur, le supplie de venir en hâte car sa fille est mourante. Mais telle était la multitude que Jésus ne pouvait avancer.

Tout à coup, au milieu de ce grouillement humain, il sentit en lui que le Fils de Dieu venait d'agir souverainement. " Qui m'a touché ? " Tous s'en défendaient et Pierre protesta en riant : " On se monte dessus et vous demandez qui vous a touché ! " Mais le Seigneur savait qu'une vertu était sortie de sa chair. Alors une femme, en tremblant, se prosterna devant lui. Atteinte depuis douze ans d'une perte de sang, les médecins l'avaient ruinée. Et elle avait touché en secret la houppe du manteau de Jésus. Et voici que maintenant elle était guérie ! Jésus la regarda et dit : " Ta foi t'a sauvée, va en paix. "

A ce moment, un ami de Jaïre accourut : Inutile d'aller plus loin, la petite fille était morte. Le Seigneur chercha le regard de Jaïre. C'est un jour de tendresse et de merveilles. Jamais il n'a tant aimé ce peuple qui ne le redoute pas, qui l'empêche d'avancer, qui touche la houppe de son manteau !

— Ne crains pas, Jaïre. Crois seulement.

Non la peur, mais la foi. Croire en Jésus, c'est en même temps la grâce des grâces et la vertu des vertus. Celui qui croit est sauvé. Seulement c'est un don de Dieu que de croire en Dieu. Qu'y a-t-il de plus terrifiant au monde que cette vertu indispensable au salut qui est aussi une grâce toute gratuite ? Heureux ceux qui savent fermer les yeux et qui, avec un abandon d'enfant, serrent la houppe de toutes leurs forces.

Jaïre et sa femme introduisent Jésus dans leur maison. Personne n'entre à leur suite, sauf Pierre, Jacques et Jean. Ceux qui étaient autour du lit n'interrompirent leurs gémissements que pour se moquer du guérisseur qui arrivait quand tout était fini. Mais lui : " La jeune fille n'est pas morte, elle dort. " Et il l'appela : " Enfant, lève-toi. " Et la petite se leva. Et Jésus ordonna de lui donner à manger.

13

Hérode fait trancher la tête de Jean-Baptiste.

L'homme-Dieu, à la fin de telles journées, connaissait l'épuisement. Voici l'heure d'être secondé dans sa conquête, non du monde encore, mais d'Israël. Il réunit donc les douze et leur communiqua sa puissance sur l'esprit impur et sur les maladies. Il ne les livre pas au démon de la solitude, mais les envoie deux par deux et leur impose la pauvreté absolue. La seule règle jugée déraisonnable par les générations qui ont suivi et que n'ont pu fonder dans sa pureté ni François d'Assise, ni Thérèse, c'est la règle même du Christ. Que les apôtres fuient les caravansérails, logent dans les familles qui les accueilleront; que partout ils prêchent la mort de la chair : c'est par l'esprit qu'on va à Dieu, et par le corps à la pourriture.

La pourriture règne en ce moment sur le pays que le Fils de l'homme soulève. Hérode Antipas ajoute le crime au crime. Il avait désiré Hérodiade, la femme de son frère que saint Marc appelle Philippe et que l'historien Josèphe nomme Hérode. Il l'avait connue à Rome, et bien qu'elle eût atteint la trentaine, il l'enleva et la prit pour épouse après avoir répudié la reine fille d'Arétas, roi des Nabatéens.

En plein royaume de Dieu, s'élevait donc l'autre cité qui dure toujours, où chacun de nous a plus ou moins vécu, où il revient sans cesse, où le vin rend indulgent à toute faiblesse, où les corps pleins de nourriture et parfumés sont couchés et se touchent; où l'esprit délié brille, invente, séduit ceux qui sont là mais souille, blesse et tue les absents; le royaume où l'on se hait, où l'on se désire, où l'on se déchire les uns les autres, où la mort se propage de cœur à cœur : *le Monde*.

En son palais de Machéronte, Hérode Antipas, tout criminel qu'il fût, courbait la tête lorsque Jean venait, hâve, affreux sous sa peau de chameau et lui jetait en pleine figure : " Il ne t'est pas permis d'avoir la femme de ton frère ! " De lui-même il ne l'eût jamais mis en prison et ne céda qu'aux instances d'Hérodiade. Peut-être même le fit-il pour le mettre à l'abri car, nous dit saint Marc, Hérode vénérait et protégeait Jean-Baptiste, suivait ses conseils en beaucoup de choses et l'écoutait volontiers.

Pourtant le Baptiste ne jetait pas ses perles au pourceau, puisqu'il ne lui parla pas du Christ, comme le prouve l'émoi d'Hérode, après la mort de Jean, au récit des miracles de Jésus : " C'est Jean-Baptiste que j'ai fait décapiter et qui est ressuscité des morts... "

En effet, l'amitié d'Hérode pour son prisonnier n'avait pas été à la mesure de la haine d'Hérodiade. Cet esclave aveugle et couronné, qui se dresse en pleine Rédemption, ce roitelet qui tremble devant Rome mais qui est le maître en Galilée et pour lequel il n'existe pas de crime, atteindra la limite dernière de l'asservissement. La femme veut la tête du saint et elle guette son heure.

Ce sera le soir, en pleines délices, lorsque la chair est heureuse à la fois et irritée, lorsque le vin décuple l'orgueil et rend presque insoutenable le bonheur de régner sur les corps et sur les esprits. Hérodiade toute puissante n'a pas peur de jouer avec cette convoitise immonde; à la fin du repas, elle appelle l'enfant Salomé pour qu'elle danse : c'est une petite fille qui lui est née de son premier époux. Il y avait là les officiers de la cour et tout ce qui comptait en Galilée. « Heureux les cœurs purs ! » La parole n'a pas eu le temps de germer encore. Même les adorateurs du vrai Dieu, dans cette salle, attachaient sur ce jeune reptile des yeux dévorants. « Tout ce que tu voudras ! la moitié de mes états si tu l'exiges ! » criait le Tétrarque, au plus fort de cette extase d'en bas, qui est la joie parfaite de la chair. C'est cela qui s'appelle vivre. Il vivait, il pourrait se flatter d'avoir vécu à l'extrême pointe d'un bonheur, à l'antipode d'une autre Béatitude qui respirait, à une journée de marche de là, qui était vivante, au cœur de cette nuit galiléenne, dans un de ces endroits solitaires où le Fils de l'homme se retirait pour prier.

La petite fille sortit et interrogea sa mère : « Que demanderai-je ? » Hérodiade répondit : « La tête de Jean-Baptiste. » L'enfant Salomé ne fut pas étonnée le moins du monde, ni choquée.

« Le roi fut contristé : néanmoins, à cause de son serment et de ses convives, il ne voulut point l'affliger d'un refus. Il envoya sur-le-champ un de ses gardes avec l'ordre d'apporter la tête de Jean sur un plat. Le garde alla décapiter Jean dans la prison et apporta sa tête sur un plat; il la donna à la jeune fille, et la jeune fille la donna à sa mère. "

Et Jean-Baptiste connaissait enfin la joie, et savait qui était cet Être devant lequel il avait marché sur la terre; et il le possédait.

14

Guérison du paralytique à la piscine des Brebis.

Les jours qui suivirent ce meurtre furent ceux où la réputation humaine de Jésus fut à son comble (au point de troubler le Tétrarque) et aussi l'amour qu'il inspirait, mais plus encore la haine. Peut-être faut-il placer vers ce moment-là un bref séjour qu'il fit à Jérusalem, pour une fête des Juifs que saint Jean ne nomme pas. Il semble avoir accompli ce voyage en secret, et sans les Douze qu'il avait envoyés deux par deux, à travers la Galilée. En plein camp ennemi, et seul, il a fait ce pour quoi il est venu, mais avec cette prudence de serpent qu'il recommandait aux siens.

Un jour de sabbat, sous l'un des cinq portiques de la piscine des Brebis, il ordonna sans élever la voix, à un homme paralysé depuis trente-huit ans : “ Lève-toi, prends ton lit et marche. ” Et tout de suite, comme s'il venait d'accomplir un mauvais coup, il se perdit dans la foule. C'était en effet un crime aux yeux des Juifs que d'inciter un paralytique à porter son lit le jour du sabbat. On fit une enquête; et le miraculé qui avait entre temps rencontré Jésus au Temple et l'avait reconnu, le dénonça.

Le Nazaréen, se retournant alors contre la meute, fit front. Il parla aux Juifs des rapports du Fils et du Père avec une telle audace, qu'il dut quitter la ville sainte, pour ne pas devancer l'heure des ténèbres.

Multiplication des pains.

Au bord du lac l'attendaient les Douze, revenus de leur mission, stupéfaits de ce qu'ils avaient accompli au nom de Jésus. Judas de Quérioth dut avoir la certitude, à ce moment-là, qu'il atteignait le but enfin et que le Patron allait tenter un grand coup. Il ferait bon alors d'avoir été de ses premiers amis ! Tous sont heureux, éblouis, mais épuisés. Tant de gens les harcelaient qu'ils n'avaient même plus le temps de manger. Le Maître prit en pitié leur fatigue et les emmena dans un endroit désert pour y prendre un peu de repos.

Tout désert où pénétrait le Fils de l'homme devenait aussitôt fourmillant. Pour lui aucune solitude assurée, hors de la barque de Pierre ou de celle des fils de Zébédée. Ils s'éloignèrent donc du rivage. Mais depuis le temps qu'elle le harcelait, la foule avait éventé le lieu de sa retraite. Lorsque Jésus et les siens débarquèrent de l'autre côté du lac, ils trouvèrent tout un peuple arrivé par la voie de terre et que grossissait l'afflux venu des villes voisines : un troupeau harassé, fidèle, confiant. Et toutes ces têtes de brebis étaient levées vers lui. Il ne s'irrita pas. Un sentiment humain faisait battre son cœur de Dieu; une passion de Dieu précipitait le rythme de son sang : car la pitié, depuis que le Verbe s'est fait chair, est une passion commune au Créateur et à la créature. Dieu a senti dans son propre corps la faim des pauvres, leur soif, leur épuisement. Il a eu part à la sueur, aux larmes, au sang.

Alors il se mit à leur enseigner beaucoup de choses, nous dit l'Évangile. Ces choses ne nous sont pas rapportées que le Christ disait dans le moment même où il avait pitié de cette foule harassée et recueillie; sans doute parce que cela ne pouvait être rendu dans aucun langage humain. Mais nous savons qu'aucun de ces milliers d'hommes, de femmes, d'enfants, ne s'inquiéta de voir l'ombre s'étendre sur la campagne. Ils écoutaient, ils s'abandonnaient à ce pasteur mystérieux. Il parla jusqu'à ce qu'il eût été interrompu par le murmure des disciples :

— Ce lieu est désert et la nuit approche. Renvoyez-les afin qu'ils aillent dans les fermes et les villages des environs pour s'acheter de quoi manger.

Une lassitude irritée se trahit dans l'accent du Maître lorsqu'il leur répond : " Donnez-leur vous-mêmes à manger. " N'ont-ils pas encore compris que rien de tout cela ne compte pour lui ?

Philippe dit : " Quand on aurait pour deux cents deniers de pain, cela ne suffirait pas pour en donner à chacun un morceau... " Il y avait là un jeune homme qui avait cinq pains d'orge et deux poissons. Mais qu'était-ce que cela pour tant de monde ? Cinq mille personnes, que Jésus fit asseoir sur l'herbe... " Il prit les pains, et ayant rendu grâces, il les leur distribua, et leur donna les deux poissons autant qu'ils en voulurent. " On remplit douze corbeilles de tout ce qui resta.

Les brebis repues ne sont plus des brebis, mais des partisans passionnés : ils veulent que Jésus soit roi.

Voilà le moment que guette sans doute l'homme de Quérioth, la seconde qu'il ne faudrait laisser passer à aucun prix. Hélas ! toujours décevant, le Maître profita de l'ombre pour se dérober à cette chance insigne et gagner les hauteurs, non sans avoir ordonné à ses disciples de s'embarquer et de mettre le cap sur Capharnaüm. Pour lui, il voulait être seul, peut-être bouleversé de ce qu'il venait d'accomplir en figure et qui dépassait infiniment ce que ces pauvres gens imaginaient, — comme l'artiste irrité des louanges qu'on accorde à ses ébauches, lui qui porte dans son cœur l'œuvre encore inconnue du monde.

La multiplication inimaginable, « impensable » de ce pain qui sera son corps, de ce vin qui sera son sang, à quel moment osera-t-il l'annoncer, si ce n'est aujourd'hui même ? Il ne lui reste pas tant de jours à vivre... La nuit est venue, le vent s'est levé, il apporte peut-être l'odeur de cette herbe foulée par la multitude dont le Fils de l'homme a eu pitié. Jésus pense aux siens qui s'épuisent à ramer contre ce vent. Il songe à les rejoindre et prend par le plus court.

Jésus marche sur les eaux.

Il avance d'un pas agile sur l'eau mouvante, sans réfléchir... Nous savons qu'aucun de ses miracles n'a pu être involontaire. Le Fils de Dieu ne pouvait oublier qu'étant homme il n'aurait pas dû marcher sur la mer. Et pourtant il semble agir comme un être qui croit avoir le droit de fouler la plaine liquide. L'écume recouvrait ses pieds qu'avaient essuyés les cheveux de la femme perdue. Et sans doute faisait-il clair de lune puisqu'il voyait de loin les rameurs lutter contre le vent. Marc nous dit : " qu'il voulut les dépasser ". Ce fut en les voyant abandonner leurs rames et se lever, pleins d'angoisse, qu'il comprit qu'à eux aussi, ses bien-aimés, il faisait peur comme aux gens de Koursi. Il leur cria de loin : " C'est moi ! n'ayez pas peur ! C'est moi ! " Et les ayant rejoints, il sauta dans la barque et le vent s'apaisa, et la mer se recueillit sous celui qu'elle portait.

Ce prodige accompli dans le secret de la nuit et dont seuls les Douze avaient été témoins, fut découvert, car beaucoup de gens ayant vu les Apôtres monter sans leur maître dans la barque, étaient revenus par le rivage à Capharnaüm et ils étaient stupéfaits d'y retrouver Jésus. De partout lui venait la question : " Maître, quand êtes-vous venu ici ? "

Ils le cherchaient parce qu'il les avait nourris au désert et qu'ils pensaient recevoir encore de ce pain qui ne leur coûtait rien. Il y avait en eux cette joie impatiente d'être de nouveau nourris gratis. Et c'était à ceux-là que Jésus devait se résoudre à parler de ce pain qui ne serait pas du pain ! Mais le Fils de l'homme, irritable jusqu'à la fureur avec les Pharisiens et les Prêtres, devient, quand il s'agit des pauvres, la Patience infinie. C'est l'éternel patient qui les avertit :

— Travaillez non pour la nourriture qui périt, mais pour celle qui demeure et que le Fils de l'homme vous donnera.

Dans cette synagogue de Capharnaüm où il les a entraînés, les ennemis s'étaient déjà mêlés aux humbles qu'il avait nourris la veille, et des voix mauvaises s'élevèrent :

— Quel miracle faites-vous donc ? Quelles sont vos œuvres ?

Et sans doute leur a-t-on raconté cette multiplication étrange... Mais quoi ! ils savent que cet imposteur a plus d'un tour dans son sac. Et la canaille n'est pas difficile à tromper. Un vrai miracle, c'est la pluie de manne dans le désert. Faites-en donc autant vous qui multipliez les pains ! " Nos pères ont mangé de la manne dans le désert... "

Jésus soupire en lui-même : ils admirent ce qui n'était qu'une figure de ce que le Fils de Dieu va accomplir. Mais beaucoup ne voudront pas y croire. Le miracle des miracles est celui qui ne tombe pas sous les sens et que reconnaît la foi seule. Qu'y a-t-il pour la plupart des hommes au delà de ce qui se voit et de ce qui se touche ? O tâche surhumaine que de les persuader de cela dont il faut bien que l'Amour vivant les persuade ! Il sait que dans les jours à venir d'immenses troupeaux humains se prosterneront devant une petite hostie. Jésus anéanti et vivant sous cette apparence soulèvera des multitudes dans tous les pays de la terre; et que sont, auprès des foules futures, ces cohues de Juifs autour de lui à Jérusalem et à Capharnaüm ? Le temps est venu de la première parole touchant le mystère inconcevable.

Le pain de vie.

— En vérité je vous le dis, Moïse ne vous a pas donné le pain du ciel. C'est mon Père qui vous donne le vrai pain du ciel qui donne la vie au monde.

Ils lui dirent donc : " Seigneur, donnez-nous toujours de ce pain. " Il répondit :

— Je suis le pain de vie. Celui qui vient à moi n'aura jamais faim, et celui qui croit en moi n'aura jamais soif.

Le Christ s'est trop avancé; il n'essayera plus, désormais, de donner le change. Ce n'est plus devant une femme de Sichar qu'il se démasque, mais face à ses adversaires et à ses amis, et parmi ces derniers plusieurs déjà reculent avec scandale devant ce visage inconnu. Cette fois-ci il a passé la démesure ! Et les cris des Pharisiens trouvent un écho jusque parmi les disciples. Un murmure de réprobation l'interrompt. Il les brave de tout son amour. Il ira jusqu'au bout maintenant, et les affirmations stupéfiantes, monstrueuses, se succèdent :

— Ne murmurez point entre vous. Nul ne peut venir à moi si le Père qui m'a envoyé ne l'attire; et moi je le ressusciterai au dernier jour... En vérité je vous le dis, celui qui croit en moi a la vie éternelle. Je suis le pain de vie. Vos pères ont mangé la manne dans le désert et ils sont morts. Voici le pain descendu du ciel afin que celui qui en mange ne meure point... Si quelqu'un mange de ce pain, il vivra éternellement; et le pain que je donnerai, c'est ma chair, pour le salut du monde.

" Là-dessus les Juifs disputaient entre eux, disant : " Comment cet homme peut-il nous donner sa chair à manger ? "

Il dut y avoir des éclats de rire. Judas, à ce moment, se dit en lui-même : " Cette fois, il est bien perdu, et par sa faute. Et s'il n'y avait que lui ! Mais il nous a entraînés... " Et dominant les murmures de la foule divisée, la même question revenait sans cesse : " Comment peut-il nous donner sa chair à manger ! "

Lui va de l'avant à une allure de Dieu, sans rien entendre apparemment — mais il entend tout ! — sans rien voir; mais de cet immense reflux de cœurs qui s'éloignent de lui, il ne perd rien à cette minute. Les flammes vacillent qu'il eut tant de peine à allumer. Et sur elles il continue de faire déferler en petites phrases courtes la vérité absurde, insoutenable :

— Si vous ne mangez la chair du Fils de l'homme, et ne buvez son sang, vous n'avez point la vie en vous-mêmes. Celui qui mange ma chair et boit mon sang a la vie éternelle, et moi je le ressusciterai au dernier jour. Car ma chair est vraiment une nourriture, et mon sang est vraiment un breuvage. Celui qui mange ma chair et boit mon sang demeure en moi et moi en lui. Comme le Père qui est vivant m'a envoyé et que je vis par le Père, de même celui qui me mange vivra aussi par moi. C'est là le pain qui est descendu du ciel. Il n'en est point comme de vos pères qui ont mangé la manne et sont morts; celui qui mange de ce pain vivra éternellement.

L'Évangile ajoute : " Jésus dit ces choses, enseignant en pleine synagogue à Capharnaüm. Plusieurs de ses disciples l'ayant entendu dirent : " Cette parole est dure, et qui peut l'écouter ? "

Plusieurs se retirèrent donc qui l'avaient suivi jusqu'alors. Mais l'un de ceux que Jésus venait de décevoir à jamais ne se joignit pas à eux : l'homme de Quérioth rentra sa fureur. Il a été joué, floué. Mais il y a quelque chose encore à tirer de cet homme peut-être ? Judas occupe en cet instant même la pensée de

Jésus. « Il savait, dit saint Jean, qui était celui qui le trahirait. »

La foule murmurante se disperse. Le Fils de l'homme n'a plus besoin de chercher le désert pour fuir les importuns. Inutile qu'il monte dans la barque. Il est allé trop loin. L'abandon commence. Dans la synagogue sombre, il ne reste plus que douze hommes déconcertés qui ne trouvent rien à lui dire. Il les regarde l'un après l'autre; et tout à coup cette question si tendre et si triste, si humaine aussi : et cette fois c'est le Dieu qui s'écarte un peu devant le Fils de la femme :

— Et vous aussi, vous voulez vous en aller ?

Alors Simon-Pierre, croyant parler au nom de tous, s'écrie :

— Seigneur, à qui irions-nous ? Vous avez les paroles de la vie éternelle.

A ce cri qui devrait consoler l'abandonné, rien ne répond d'abord. Il y a là douze visages tournés vers la face douloureuse. Mais il suffit de l'un d'eux pour obscurcir toute la lumière qui resplendit sur les onze autres. Jésus dit enfin : « N'est-ce pas moi qui vous ai choisis, vous douze ? » Et c'est sans doute à voix plus basse qu'il ajoute la parole accablante :

— Et l'un de vous est un démon.

15

Sur le chemin de Césarée de Philippe.

Il les entraîna alors dans une course errante, soit qu'il voulût dépister ceux qui cherchaient à le faire mourir, soit qu'il se ménageât un temps de solitude avec ces onze cœurs incertains, pour les travailler à loisir. Car il reste beaucoup à faire en eux, et le cri de Céphas : " A qui irions-nous ? " est très loin de ce que le Fils de l'homme attend de lui.

Ce qu'il attend, c'est d'être reconnu pour ce qu'il est... Mais tous, ils flottent, ils hésitent, ondoyants comme nous le sommes tous. A certains jours, éblouis, comblés de certitude, ils se disaient entre eux : " C'est vraiment le Fils de Dieu ! " mais parfois aussi plusieurs songeaient que tout n'était peut-être pas faux, sinon dans les accusations des Pharisiens, du moins dans les reproches des disciples de Jean. S'ils avaient su vers quoi ils allaient, vers quelle défaite ! Eux à qui la parole sur le pain de vie avait paru dure, comment eussent-ils reçu une prophétie même voilée, touchant ce gibet des esclaves où tout devait aboutir ?

Il faut les préparer à considérer sans frémir cette couronne et ce trône dont ils rêvent pour leur Maître et pour eux, à ne pas perdre cœur devant ces épines, ce manteau écarlate, ces deux morceaux de bois. Le petit groupe se dirigeait vers le nord-ouest dans la direction de Tyr; de là ils gagnèrent Sidon avant de descendre vers la Décapole. Pendant qu'ils marchent, le Maître revient inlassablement à ce point de son message : que le royaume de Dieu est au-dedans de nous, que toutes les observances sur les ablutions, sur les lavages de plats, sur l'abstinence des aliments impurs, ne servent de rien pour le salut. Ce qui souille l'homme ne vient pas de dehors; il est l'artisan de sa propre souillure : elle se forme dans son cœur, elle est le fruit de sa convoitise.

Sur le chemin, le Seigneur ne refusait pas de délivrer une possédée Syrienne ou de guérir un aveugle; mais la mère de la possédée, parce qu'elle était païenne, fut d'abord rabrouée. Pour le sourd-muet, il lui mit les doigts dans les oreilles et de sa salive sur la langue, il en fit de même avec un aveugle à Betsaïda (celui dont l'Évangile nous rapporte la parole étonnante et qui rend encore le son de la stupeur : " Je vois des gens qui marchent semblables à des arbres. "). Sans doute le Seigneur voulait-il enseigner aux siens les gestes les mieux faits pour éveiller l'attention et l'espérance des infirmes. Et chaque fois, il ordonnait au miraculé de ne rien dire à personne pour ne pas braver inutilement les Juifs.

Une inquiétude secrète l'occupait; il avait un but qu'il était seul à connaître. De nouveau il marcha vers le nord, traînant les Douze jusqu'à ces terres païennes, aux confins d'Israël où son nom était ignoré. Comme ce n'était pas l'heure encore d'annoncer le Royaume aux Gentils, le Fils de l'homme fuirait toute occasion de se manifester.

Ils passèrent non loin d'une des sources du Jourdain ; le dieu Pan avait là son sanctuaire. Déjà Césarée de Philippe était proche. Jésus de Nazareth traverse une campagne pleine de bocages et d'eaux où les nymphes respirent. Le Grand Pan sommeille sous les feuilles et l'approche du Dieu qui le chassera hors de ce monde ne le réveille pas.

Aux abords de Césarée, Jésus se décide enfin à poser aux Douze la question qu'il médite depuis qu'ils ont pris la route de Sidon et de Tyr. C'est pour les soumettre à cette épreuve qu'il a entrepris ce voyage, loin de Capharnaüm, en pleine gentilité. Un soir sans doute, encore assez loin de la ville, il osa leur demander : « Qui dit-on que je suis ? »

Les disciples intimidés échangèrent des regards :

— Les uns disent que vous êtes Jean-Baptiste, d'autres Elie, ou un des prophètes.

— Et vous, qui dites-vous que je suis ?

Il y en eut onze qui, une seconde, hésitèrent. Mais Pierre, déjà, avait crié :

— Vous êtes le Christ.

Il suffit de ce cri pour qu'au bord d'un chemin, non loin d'un temple de Pan, l'Église catholique sorte de terre et s'élève à mesure que le Fils de l'homme prononce les paroles :

— Tu es heureux, Simon, fils de Jonas, car ce n'est pas la chair et le sang qui te l'ont révélé mais c'est mon Père qui est dans les cieux. Et moi je te dis que tu es Pierre, et sur cette pierre je bâtirai mon Église, et les portes de l'enfer ne prévaudront point contre elle. Et je te donnerai les clefs du royaume des cieux : et tout ce que tu lieras sur la terre sera lié aussi dans les cieux, et tout ce que tu délieras sur la terre sera délié aussi dans les cieux.

Cette prophétie devant laquelle il avait reculé jusqu'alors, voici l'heure de s'y risquer enfin : Puisque ces hommes de peu de foi croyaient tout de même qu'il était le Christ, il dresserait devant leurs yeux cette croix inconnue vers laquelle ils ne savaient pas qu'ils marchaient. Le Seigneur commence donc de leur parler avec précaution, n'avance que pas à pas; l'anxiété de leurs regards, fixés sur sa bouche, croissait à chaque parole; que racontait-il donc ? Il irait une dernière fois à Jérusalem; les Anciens, les scribes, les pontifes le feraient souffrir, le mettraient à mort... Mais il ressusciterait... Qu'était-ce encore que cette folie ?

Il se tut, et personne d'abord n'osa rompre le silence. Et lui, un peu essoufflé, lisait dans chacun de ces cœurs, les regardait tourner à tous vents. Judas seul avait compris, croyait avoir compris. Que le Maître fût capable de déchiffrer l'avenir, de cela il ne pouvait douter. Ce qui paraissait aux Onze autres incroyable, lui l'admettait du premier coup. Le charpentier de Nazareth savait ce dont lui, l'homme de Quérioth, ne doutait plus depuis les propos insensés sur la chair-nourriture et sur le sang-breuvage : Jésus serait écrasé; les prêtres auraient le dernier mot; non, Judas n'en avait jamais douté; mais quelle chance que d'en être sûr ! A Jérusalem il faudrait causer avec l'adversaire. Les derniers propos du pauvre Jésus touchant sa résurrection confirmaient le jugement des gens raisonnables et celui même de la famille : il était “ hors de sens ” et nul n’est tenu de demeurer fidèle à un dément.

Ainsi songeait Judas, tandis que le petit troupeau avançait tête basse, vers Césarée. Et tout à coup le meilleur de tous, celui qui avait confessé le Christ se détacha, prit le Maître à part (peut-être délégué par ses frères) et il dit à voix basse et grondeuse :

— A Dieu ne plaise, Seigneur ! Non, cela ne vous arrivera pas.

On trouve encore à Banias (ou Paneas dont le nom vient de Pan) là où fut Césarée de Philippe, une herbe épaisse qui touche les branches basses des oliviers. Cette croix dressée pour la première fois dans cette campagne heureuse fit horreur à Pierre et elle détourne encore, en Orient, ces millions d’êtres pour qui un Dieu souffrant et crucifié est inconcevable. Et l’Islam est né de ce scandale. C’était par amour que Céphas protestait. Son amour se confondait avec son incrédulité : “ Non ! non ! cela ne vous arrivera pas... ” Comme il aurait dit : “ Non, mon bien-aimé, je ne veux pas que tu meures ! ”

Mais le Fils de Dieu, lui, ne voulut pas d’abord comprendre que de pauvres sémites fussent lents à croire ce qu’abominent après dix-neuf siècles, les hommes de leur race : le Christ humilié, bafoué, vaincu... Non, cela ne pouvait être ! Irrité par ce refus, Jésus s’écrie :

— Retire-toi de moi, Satan, tu m’es un scandale. Car tu n’as pas l’intelligence des choses de Dieu, tu n’as que des pensées humaines.

Quelles autres pensées Pierre aurait-il pu avoir ? Il n’était pas Dieu comme Jésus, si Jésus était homme comme lui. Tandis que l'apôtre reculait, la tête basse, l'homme de Quérioth songeait : " Le maître commence à devenir violent, il ne se domine plus... "

Alors seulement Jésus s'apaise et se résout à ménager les douze; il faudra beaucoup de temps pour les instruire dans ce mystère. Encore ne le saisiront-ils tout à fait qu'après avoir touché ses pieds et ses mains transpercés, son côté ouvert. Jésus devient timide tout à coup; il n'ose pas encore leur nommer la chose, l'objet, le signe, ce gibet pour esclaves, en forme de T, qui sera adoré dans les siècles des siècles. Puisqu'il a suffi d'une allusion pour que Céphas s'indigne, sur cette route, aux abords de Césarée, le Seigneur aura recours à une ruse de Dieu : cet Arbre qu'il n'osait pas exposer ouvertement aux regards des Douze, il leur en montrera l'ombre immense recouvrant tout le champ d'une vie d'homme. A deux pas du sanctuaire consacré au chèvre-pied, Jésus se décide à leur parler de la " croix " :

— Si quelqu'un veut être mon disciple qu'il renonce à soi-même, qu'il prenne sa croix et me suive.

Ce n'est pas une hypothèse, c'est bien une certitude que de pareils propos devaient asseoir un homme équilibré et raisonnable tel que Judas dans une sécurité profonde : oui, son maître était fou... Mais les autres entrevoient un rayon de vérité; ils ont au moins compris qu'il n'y a plus pour eux à comprendre, qu'il leur suffit de fermer les yeux et de se jeter dans cette folie. Que risquent-ils puisque le Fils de l'homme reviendra dans sa gloire et qu'il rendra à chacun selon ses œuvres ? Jésus, cependant, ajoutait :

— Et que sert à un homme de gagner le monde entier, s'il vient à perdre son âme ?

Peut-être Jésus, à ce moment-là, regardait-il l'Iscariote qui songeait : " Une fois le monde entier gagné, il sera toujours temps de sauver son âme. D'ailleurs, qu'est-ce que l'âme ? " Judas se rappelle le psaume : " Ma vie défaillante touche au séjour des morts... Délaissé parmi les morts, pareil aux victimes du glaive qui dorment dans les sépulcres dont vous ne gardez plus le souvenir... " A quoi nous sert d'avoir gagné notre âme qui n'est qu'un souffle, un peu de vent ? (c'est l'avis des Sadducéens). A quoi bon gagner son âme lorsqu'on perd l'univers ?

La transfiguration.

Ainsi songeait Judas; même chez les autres le Seigneur dut sentir une résistance dernière. Entre tous ses disciples, il en avait choisi douze, et c'était encore trop. Alors après six jours de méditation, il résolut d'en prendre trois parmi les douze... Mais ceux-là il les obligerait à croire, il les obligerait à reconnaître de force, par son seul aspect, qu'il était le Fils du Béni. Ils verraient d'avance le Fils de l'homme venir dans l'éclat de son règne, pour qu'à l'heure des ténèbres ils pussent se souvenir de cette heure et ne pas défaillir.

Le choix du Seigneur était fait d'avance : Céphas d'abord; et puis Jean parce qu'il l'aime et que de celui-là il ne peut supporter le moindre doute, la moindre tiédeur. Et Jacques, parce qu'il est le frère de Jean, et qu'il le suit partout.

Et voici que ce jour-là, le Fils de Dieu va éclater aux regards de ses trois amis, afin qu'un jour le disciple bien-aimé puisse écrire : " Ce que nos yeux ont vu, ce que nos mains ont touché, ce que nos oreilles ont entendu concernant le Verbe de la vie. "

Il les conduisit donc sur une montagne. S'il s'agit du Thabor, selon une tradition qui remonte à saint Cyrille de Jérusalem, c'était non loin de Nazareth : au temps de sa vie cachée, il avait dû s'y retirer souvent pour être seul avec le Père. Une bourgade en occupait le sommet, mais il découvrit sans peine un endroit désert.

Même si ce fut pendant le jour, le soleil de son visage rendit le ciel obscur, et la neige de ses vêtements enténébra le reste du monde. Un pauvre Juif vêtu d'un manteau de laine grossière irradiait. Cette lumière, c'est toujours la même que nous reconnaissons à travers les récits de ceux qui l'ont vue, de Paul de Tarse à la petite Bernadette Soubirous : la lumière que contemplaient les yeux aveugles du vieux Tobie.

Ces trois hommes qui avaient hurlé de terreur lorsque Jésus s'était avancé vers la barque marchant sur la mer, n'éprouvaient aucun effroi devant cette face fulgurante. L'homme qui accomplit des actes de Dieu effraye. Mais lorsque Dieu se manifeste, il n'y a plus lieu de craindre, il suffit d'adorer et d'aimer. Voici Moïse, voici Elie... Quoi de plus simple ? Comme il devait advenir aux pèlerins sur la route d'Emmaüs, les trois disciples sentaient leur âme ardente en eux; et c'est presque les mêmes paroles qu'ils prononcent : Seigneur, il nous est bon d'être ici... " annonce : " Reste avec nous car déjà le soir tombe... " Pierre offre de dresser trois tentes, une pour Jésus, une pour Moïse, une pour Elie. Le brouillard de la nuit s'épaissit au-dessus d'eux. Une voix les précipita la face contre terre : " Celui-ci est mon Fils bien-aimé... "

Ils demeurèrent prostrés jusqu'à ce qu'une main leur toucha l'épaule. Jésus était seul, avec sa figure de tous les jours et son pauvre manteau. Les bruits habituels montaient de la plaine. Mais eux, ils se crurent changés à jamais. Pourtant Pierre se rappellerait le soleil de ce visage, après son reniement, lorsque le Fils de l'homme chargé de chaînes tournerait vers lui sa face exténuée. Et Jean s'en souviendrait aussi, au pied de la croix, les yeux levés vers cette tête affaissée, couverte de sang et de pus.

Comme ils redescendaient vers la plaine, Jésus leur recommanda de ne rien dire au sujet de cette vision jusqu'à ce qu'il fût ressuscité. Ainsi, sans perdre de temps, mettait-il à profit leur foi accrue, pour les entretenir de sa mort. Les trois disciples furent de nouveau troublés : leur esprit errait à travers les lambeaux d'Écriture qu'avait retenus leur mémoire :

— Les scribes disent qu'Elie doit venir auparavant.

Comme Jésus leur répondait qu'Elie était déjà venu, ils comprirent que le Maître parlait de Jean-Baptiste :

— Les scribes l'ont traité comme ils ont voulu. Ils feront souffrir de même le Fils de l'homme.

Qu'ils étaient lents à croire ! Que la nature en eux était forte contre la Grâce ! Leur nature de Juifs... Ils aimaient la réussite, l'écrasement de l'ennemi, les charbons accumulés sur sa tête. Il fallait fortifier leur foi. Patiemment, le Seigneur reprend son travail par la base.

Lorsque le jour d'après la Transfiguration, le gros des disciples eut été rejoint, il les trouva assez honteux de n'avoir pu guérir un lunatique. Lui, aussitôt de les avertir : " C'est à cause de votre manque de foi... " et il ajouta :

— Si vous aviez de la foi comme un grain de sénevé, et si vous disiez à cette montagne : passe d'ici là, elle y passerait...

Derechef, il les oblige à regarder ce qu'ils ne veulent pas voir, les confronte avec ce qu'ils repoussent :

— Le Fils de l'homme doit être livré entre les mains des pécheurs; et ils le mettront à mort; et le troisième jour, il ressuscitera.

Qui eût osé protester ? Car ils se souvenaient de sa récente fureur contre Céphas. Mais ils gardaient le silence, renâclaient en secret et cette promesse de résurrection ne les aidait guère : le mot même ne représentait rien à leur pensée.

A mesure qu'ils approchaient de Capharnaüm, leur attention se détourna de ces prophéties lugubres pour s'attacher à leur enfantine espérance : ils seraient grands, domineraient, triompheraient. Mais non tous également. De sourdes disputes jalouses éclataient, surtout lorsque le petit troupeau se trouvait un peu à l'écart du Maître. Tout à coup s'éleva la voix impatiente et redoutable :

— De quoi discutiez-vous ?

A quoi bon mentir ? Tous savaient que le Seigneur les interrogeait pour la forme et qu'aucun de leurs propos ne lui avait échappé. Pourtant ils n'osèrent avouer qu'ils avaient discuté entre eux afin de savoir qui était le plus grand...

Jésus garda le silence, jusqu'à ce qu'ils fussent entrés dans leur maison de Capharnaüm (celle de Pierre, sans doute). Assis autour de lui, ils baissaient la tête, pour laisser passer la colère de cet agneau quelquefois furieux. Mais avec cet accent de douceur qu'ils n'attendaient pas et qui les bouleversait encore après trois années, Jésus dit :

— Si quelqu'un veut être le premier, il se fera le dernier de tous, le serviteur de tous.

Il renonçait pour l'instant à leur parler de la croix et leur montrait seulement la dernière place qu'il assigne à ses bien-aimés : cette seule parole renversait une fois encore leur rêve de puissance. Et comme ils détournaient leur front barré, leur cœur lent à croire, le Seigneur étendit la main vers un des petits enfants qui étaient entrés derrière eux et qui faisaient cercle autour du rabbi, l'attira contre ses genoux :

— Si vous ne devenez comme les petits enfants, vous n'entrerez pas dans le Royaume des Cieux.

Il ajouta :

— Celui qui se fera humble comme *ce* petit enfant...

Celui-là, il ne l'avait pas appelé au hasard; il l'avait choisi entre tous ses camarades. Pourquoi parler de l'enfance ? L'enfance n'existe pas : il y a des enfants. Et s'il est vrai que beaucoup, à peine sortis de terre, sont des sources troubles, et la fange se mêle à leurs premiers bouillonnements, beaucoup d'autres ont cette transparence, cette limpidité sur laquelle la Face sainte du Christ se penchait pour s'y réfléchir. Encore une folie qu'il exige de la créature adulte : retrouver notre enfance, cet abandonnement d'une faiblesse qui ne connaît pas le mal, nous qui l'avons connu et qui l'avons commis, et qui ne sommes que souillure. Mais justement : l'enfance la plus aimée de Dieu est reconquise sur toutes les abominations d'une vie, — terre vierge gagnée pied à pied contre une marée de désirs, contre une convoitise inlassable. L'enfance est une victoire, une conquête de l'âge mûr. Car aussi candide qu'il pût être, le petit que contemplait Jésus, portait en puissance tous les crimes qu'il commettrait plus tard.

— Quiconque reçoit un de ces enfants à cause de mon nom, me reçoit et qui me reçoit, reçoit celui qui m'a envoyé.

Jean, le plus libre parce qu'il était le plus aimé, lui coupa la parole : N'importe qui peut donc recevoir un enfant en son nom, chasser les démons en son nom ? Pourtant, hier encore, ils avaient interrompu un homme qui se mêlait de faire des exorcismes au nom de Jésus.

Le Seigneur les en désapprouva vivement : il ne veut pas être le prisonnier des siens. Sa grâce n'a besoin de personne. Que de prêtres, aujourd'hui encore, se substituent à la grâce ! Cependant le Seigneur n'avait pas lâché l'enfant et le couvait d'un regard si triste que le petit prit peur, peut-être, et voulut fuir :

— Celui qui scandalise un de ces petits qui croient en moi, il vaudrait mieux qu'on lui attachât au cou la meule qu'un âne tourne, et qu'on le précipitât au fond de la mer.

Parole plus consolante encore que terrifiante : c'est donc que la pureté d'un petit enfant vaut un prix infini, que sa valeur est inaliénable, quoi qu'il puisse advenir à l'âge des passions. Crime inexpiable que de souiller ce témoin candide dont nous aurons tous besoin au jour du jugement : le petit enfant que nous avons été.

Ici le Fils de l'homme nous introduit dans le mystère de sa justice. Son royaume qui n'est pas de ce monde est régi par une justice qui n'en est pas non plus. Ce qui mérite la mort, ou plutôt une vie de tourments sans fin, dans son code à lui, apparaît légitime aux yeux du monde, ou du moins dénué d'importance.

Le monde ! Jésus y pense à ce moment-là, et il n'y pense jamais sans un soulèvement de tout son être; il écarte l'enfant, il crie :

— Malheur au monde à cause des scandales ! Il est nécessaire qu'il arrive des scandales, mais malheur à l'homme par qui le scandale arrive !

Depuis des siècles, le monde scandaleux entend, sans en être troublé, les imprécations de ce Juif et se rit de la menace. Il ne craint pas d'être " salé par le feu " (c'est l'expression même dont use Jésus). Le monde ne croit pas à ce feu qui, au lieu de la consumer, conservera la chair torturée. " La géhenne de feu inextinguible " qui a terrifié tant de créatures humaines depuis que le Fils de l'homme en a décrit l'horreur avec une insistance presque intolérable, ce brasier où le ver même du cadavre ne mourra point, ne châtie pas seulement les grands crimes selon le code des nations; il est le juste prix des souillures spirituelles, du trouble mortel jeté dans de jeunes êtres; il venge les âmes assassinées. Jésus, à un monde qui corrompt l'enfance, qui défie le désir et l'assouvissement, qui donne un nom de dieu à chaque convoitise, a l'audace d'opposer une loi presque inhumaine de candeur, et confère une valeur absolue à la chasteté, à l'intégrité du cœur et de la chair. Aucune atténuation : il vaut mieux se couper un membre qui nous incline au mal que de le conserver dans ce saloir de flammes : " car tout homme sera salé par le feu... "

Vit-il briller une lumière atroce dans les yeux de ces Juifs prompts à faire justice ? Il se reprit : non ! ce n'est pas aux purs à allumer un feu sur la terre pour y consumer les impurs. Il ne faut pas que nous singions l'implacabilité du Dieu qui a allumé cette géhenne mais qui est venu mourir afin de nous en délivrer. Jésus fixait d'avance d'étroites limites à la correction fraternelle : d'abord l'avertissement, puis l'admonestation en présence de deux ou trois... Et alors seulement si le pécheur s'obstine, l'Église le traitera comme un païen. Qu'il se méfie de ces durs Juifs ! Il leur ordonne de pardonner non pas jusqu'à sept fois, mais septante fois sept fois, et leur raconte la parabole du créancier et du débiteur : un Roi remit sa dette au serviteur qui lui devait dix mille talents; et celui-ci à la sortie du palais, prend à la gorge un de ses compagnons qui lui devait cent deniers et le fait mettre en prison. Et le roi le punit durement de ne pas avoir eu pitié de son débiteur comme on avait eu pitié de lui.

Ainsi, par un détour médité, les pires menaces du Seigneur aboutissaient toujours à des paroles de miséricorde. Chaque anathème le ramenait à un secret d'amour qu'il lui fallait dérober derrière un rideau de flammes, de peur que les siens eux-mêmes ne fussent tentés d'en abuser.

16

Départ pour Jérusalem.

L'automne sans eau était revenu, et les vendanges, avec leurs huttes de branchages appelées aussi tabernacles, d'où chacun surveillait sa récolte. Cette fête des tabernacles ramenait à Jérusalem Jésus et les Douze. Depuis quelques semaines, pour les travailler en secret, il s'était détourné de la foule; et la petite troupe n'avait guère eu sujet de s'accroître; mais le Maître seul pouvait faire le compte des cœurs sollicités en vain dans le secret et qui s'étaient refusés à lui; ils remplissent maintenant les maisons de Capharnaüm, de Corozaïn, de Betsaïda, comme si le Christ n'avait jamais traversé leurs villes. Et tout ce qu'il a accompli, il l'a accompli pour rien. Le temps qui leur a été donné est révolu : le Fils de l'homme part pour Jérusalem et jamais il ne reviendra, du moins dans son corps de chair. Ce qu'il était venu sauver ne sera donc pas sauvé. Le cri du cœur, d'un cœur qui sait que la partie est perdue dans la mesure où la partie de Dieu peut être perdue, Jésus va le jeter à la face des cités qu'il n'a pas conquises. L'amour qui les encerclait, se lève et se retire. Quel mystère que ce pouvoir qu'a la créature de se refuser au désir de Dieu ! Il fallait que la grâce eût essuyé là une immense défaite, car le Fils de l'homme ne put se contenir, et accabla d'un tel anathème ce rivage que Betsaïda n'y a pas même laissé de trace. Lui à qui rien n'est caché n'en revient pas de ce refus; il entrait de la stupeur dans les paroles terribles :

Les villes maudites.

— Malheur à toi Corozaïn; malheur à toi Betsaïda ! car si les miracles qui ont été faits au milieu de vous, avaient été faits dans Tyr et dans Sidon, il y a longtemps qu'elles auraient fait pénitence sous le cilice et sous la cendre. Oui, je vous le dis, il y aura au jour du jugement moins de rigueur pour Tyr et pour Sidon. Et toi, Capharnaüm, vas-tu t'élever jusqu'au ciel ? Non, tu seras abaissée jusqu'aux enfers, car si les miracles que tu as vus avaient été accomplis dans Sodome, Sodome serait encore debout... Oui, au jour du jugement, il y aura moins de rigueur pour Sodome que pour toi. "

Après un tel éclat, le Fils de l'homme se reprend, se retourne en quelque sorte vers le mystère de son être. Il n'a pas à fuir l'irritation de ce sang, de cette chair qu'il a revêtue, pour se réfugier dans l'incommunicable paix de son Père.

— Je vous bénis, Père, Seigneur du ciel et de la terre, de ce que vous avez caché ces choses aux sages et aux prudents, et les avez révélées aux petits. Oui, Père, je vous bénis de ce qu'il vous a plu ainsi.

Il se retrempe dans la connaissance de cette union ineffable. Il se console. La joie de la Trinité s'exhale dans des paroles que les pauvres hommes qui l'écoutent recueillent entre beaucoup d'autres qu'ils n'ont pas comprises. Mais celles-là se gravent en eux, parce que peut-être cet accent d'exultation s'élevait après des anathèmes qui les avaient glacés d'effroi.

Le Fils de l'homme s'enfonçait dans l'abîme de sa propre paix. Il avait détourné les yeux de cette Capharnaüm et de ce Corozaïn, dont il ne demeure aujourd'hui que des pierres éparses. La petite troupe marchait en silence. Plusieurs étaient tristes, songeant au feu de la géhenne : quel homme n'a scandalisé ? Et ils cherchaient dans leur vie les noms de leurs victimes oubliées. Tous aimaient leur Betsaïda qui venait d'être maudite. Plus d'un se sentait las, tout à coup. A quoi bon tant d'efforts pour aboutir au feu éternel et à la destruction de leur patrie terrestre ? Et soudain la même voix qui tout à l'heure tremblait de colère s'éleva, pleine de tendresse :

— Venez à moi, vous tous qui êtes fatigués et qui ployez sous le fardeau, et je vous soulagerai.

— Seigneur, nous n'en pouvons plus de nos rechutes, de nos trahisons. C'est ce fardeau que nous ne pouvons plus porter...

— Prenez sur vous mon joug, et recevez mes leçons, car je suis doux et humble de cœur; et vous trouverez le repos de vos âmes. Car mon joug est doux, et mon fardeau léger.

A ceux qu'avaient troublés ses imprécations et à qui l'homme de Quérioth avait soufflé : " Quelle violence inutile ! quelle absurde colère ! " un appel si tendre donnait la sensation presque physique de ce mystère : l'humilité de Dieu. Oui, ils avaient goûté la douceur de ce joug. Ils n'avaient plus peur. Que leur importe Betsaïda ou Corozaïn ? leur seule patrie est le Christ; ils n'ont pas d'autre royaume que le sien. En vain essayait-il de leur faire peur : son amour se trahissait à chaque instant : " Venez à moi vous tous qui êtes fatigués... "

On oublie toujours, autour de Jésus, cette famille bourdonnante et importune, secrètement hostile : ses proches de Nazareth, qui l'avaient entendu crier contre les villes du bord du lac lui disaient : " Quittez ce pays, et allez en Judée, car personne n'agit en secret lorsqu'il désire être connu du public. Si réellement vous faites ces choses, montrez-vous au monde. "

Mais Jésus ne voulait pas aller à Jérusalem avec ceux de son sang, qui ne croyaient pas en lui, tout en espérant tirer quelque avantage de leur alliance, partagés sans doute, comme Judas, entre l'incrédulité et la convoitise. Qu'il y eût du danger pour le Maître à Jérusalem, ils le savaient et s'en moquaient : car eux ne risquaient rien. Cette famille hypocrite, ambitieuse et lâche faisait horreur au Christ. Et il leur disait :

— Le monde ne saurait vous haïr; moi il me hait, parce que je rends de lui ce témoignage que ses œuvres sont mauvaises. Allez, vous, à cette fête. Pour moi, je n'y vais point, parce que mon temps n'est pas encore venu.

Il les laissa donc partir, et feignit de demeurer en arrière. Mais ensuite, il se mit en route. Il n'eut pas à décider du moment, ce dernier voyage était résolu de toute éternité : " Quand les jours où il devait être enlevé de ce monde furent venus, il prit la résolution d'aller à Jérusalem... " Tout était fixé jour par jour, heure par heure. Son heure était venue et il n'aurait pu demeurer un instant de plus, consacrer une seule parole encore au salut des villes maudites.

A ce dernier tournant de sa vie sur la terre, le Fils de l'homme eût préféré demeurer seul. Autant qu'il les aimât, ce devait être accablant que de traîner partout ces onze disciples qui n'entendaient rien à demi-mot, et ce traître retors et imbécile ! S'il avait pu demeurer seul avec Jean... Au vrai, le contexte semble prouver que le Fils de Zébédée était auprès de lui. Pour les autres, il les envoya devant, préparer les étapes.

Pourquoi, traversant la Samarie, ne passa-t-il pas par Sichar ? Il devait y avoir dans l'air sec l'odeur du moût que les pressoirs répandaient sur la campagne. Les jours diminuaient. Ce Dieu, chargé de toutes les douleurs de l'homme, en a-t-il goûté aussi le triste bonheur qui tient à sa condition d'éphémère ? Ce soleil blessé de l'automne, et tout ce qu'il éveille dans un cœur mortel de regrets et d'attendrissement, le Fils de l'homme l'éprouvait-il dans le mystère de sa nature double ? Le temps, la notion de ce qui dure et s'épuise et finit, enivrait l'Être, — celui-là même qui quelques jours plus tard devait braver les Juifs par la parole inouïe : " Avant qu'Abraham fut, je suis ! " Mais aujourd'hui, sur cette route d'automne, en Samarie, il est un passant qui ne reviendra plus jamais dans la ville où il est né, un homme traqué, déjà sous le coup de la loi; et il admire une fois encore les couchants de septembre, respire l'odeur vineuse de ces dernières vendanges. Oui, il a connu aussi nos très pauvres joies.

Mais ses disciples revinrent : ils ne le laissaient jamais

longtemps. Toujours la même histoire ! les Samaritains ne voulaient pas recevoir des gens qui se dirigeaient vers Jérusalem. Les fils de Zébédée, qui avaient encore dans l'oreille les cris de Jésus contre les trois villes, avec ce zèle éternel des Juifs pour la vengeance et pour la destruction, lui proposèrent donc, comme la chose la plus simple : " Seigneur, voulez-vous que nous commandions que le feu descende du ciel et les consume ? "

Jésus qui marchait devant, se retourna. Eh quoi ? c'était de Jean que lui venait ce coup ? Le disciple s'en rapportait aux imprécations de son Seigneur contre Betsaïda; ce " fils du tonnerre " comme l'appelait Jésus par une tendre dérision, n'était certes pas un doux; et il pensait que le temps n'était plus des bergeries et des béatitudes. Jésus ne s'irrite pas. Sa réponse est de celles où passe un accent de fatigue indicible, une plainte lassée et triste, un découragement de Dieu :

— Vous ne savez pas de quel esprit vous êtes !

Et il ajoute :

— Le Fils de l'homme est venu non pour perdre les âmes mais pour les sauver. Il est venu chercher et sauver ce qui était perdu.

Dans une vision, quinze siècles plus tard, il devait dire à François de Sales torturé de scrupules : " Je ne m'appelle pas celui qui damne, mon nom est Jésus... " Et sans doute si le fils de Zébédée avait eu l'audace de protester : " Mais Seigneur, l'autre jour encore, vous ne parliez que de géhenne et que de feu... " le Maître eût pu répondre : " Je ne suis pas un Dieu logicien. Il n'est rien de plus éloigné de moi que toute votre philosophie. Mon cœur a ses raisons qui échappent à votre raison parce que je suis l'Amour. Hier c'était par amour que j'allumais devant vous ce brasier inextinguible et aujourd'hui ce même amour vous annonce que je suis venu sauver ce qui était perdu... " Il regardait droit devant lui, il voyait dans Jérusalem, entre toutes les femmes folles de la ville, l'épouse coupable qu'on allait demain traîner à ses pieds : elle aime un homme, en ce moment même, et ce n'est pas son mari; ils sont ivres de désir et déjà le voisinage les épie. A la femme adultère, il ne parlera pas non plus de géhenne.

A Jérusalem.

Il entra dans la ville en secret et se cacha chez l'un des siens, peut-être à Béthanie dans la maison de Lazare. Mais plusieurs de ceux qui étaient avec lui avaient été reconnus car on le cherchait partout. Les pèlerins se demandaient entre eux : " Où est-il ? " sans oser s'exprimer librement à son sujet, — tant il était déjà suspect et haï, condamné d'avance. L'affaire du paralytique guéri, lors de son dernier séjour sous le portique de la piscine des Brebis, n'était pas oubliée. Il y fera clairement allusion, lorsque vers le milieu de la fête il osera prendre la parole au Temple, lui qui n'a pas fréquenté les écoles, comme s'il était Docteur en Israël !

Non, il n'est pas Docteur; il proteste qu'il n'a pas de doctrine à lui. A quoi bon inventer une doctrine ? Sa doctrine, c'est son Père, et sa gloire est celle de son Père. Et comme l'auditoire murmurait contre lui, il demanda :

— Pourquoi cherchez-vous à me faire mourir ?

Ils s'indignèrent : " Vous êtes possédé du démon.

Qui cherche à vous faire mourir ? " Les Galiléens protestaient de bonne foi. Mais les Princes des Prêtres frémissaient d'être ainsi devinés et n'osaient mettre la main sur lui en plein jour. Ils avaient l'air de le craindre au point que les Juifs se demandaient : " Croient-ils donc eux aussi, qu'il est le Christ ? " Mais non ! impossible de croire une pareille sottise : ce garçon-là vient de Nazareth, on a connu son père, sa mère; la ville est remplie de ses proches qui sont les premiers à rire de lui et à hausser les épaules, pour peu qu'on les pousse...

Cependant sa voix bouleversait la foule. Sa voix seule : il ne faisait presque plus de miracles. Et pourtant jamais les cœurs n'avaient été à ce point troublés. Aux approches de la Passion, les paroles du Seigneur se teignent à leur sommet d'une lueur annonciatrice : " Je suis encore avec vous pour un temps. Je m'en vais à Celui qui m'a envoyé. Vous me chercherez et vous ne me trouverez pas. Et où je suis vous ne pouvez venir... " Ils ne comprenaient pas et demeuraient pourtant suspendus à ses lèvres. Le dernier jour de la fête, les esprits furent plus que jamais divisés par un discours dont Jean a retenu le thème : " Si quelqu'un a soif qu'il vienne à moi et qu'il boive. Celui qui croit en moi, de son sein, comme dit l'Écriture, couleront des fleuves d'eau vive. "

Prophétie dont nous savons aujourd'hui qu'elle est réalisée. Car ceux qui ont vu le Christ aux jours de sa chair, ont reçu une moins grande grâce que nous qui assistons à l'accomplissement des promesses. Non seulement les légions de saints, mais le dernier des chrétiens en état de grâce est une source d'eau vive et le monde ne sait pas qu'il est entouré et baigné de ces eaux jaillissantes.

De quel accent ces choses devaient-elles être dites pour que tout le peuple en fût soulevé ! " C'est un prophète... — C'est le Christ ! — Non, il est Galiléen. Lisez donc l'Écriture. Le Christ naîtra à Bethléem... "

Mais le plus étonnant témoignage est celui des gardes que les Pontifes avaient envoyés pour l'arrêter et qui revinrent les mains vides.

— Pourquoi ne l'avez-vous pas amené ?

Ils répondirent :

— Jamais homme n'a parlé comme cet homme.

Les Prêtres furieux leur demandèrent s'ils étaient séduits, eux aussi. Et n'osant les châtier, ils leur firent la leçon : existait-il un seul Pharisien, un seul Docteur connaissant la Loi, qui eût épousé la cause de cet imposteur ? La populace imbécile le suivait parce qu'elle ne savait pas que le Messie ne peut venir de Galilée.

Les gardes furent-ils convaincus ? Pour les Pharisiens, toutes les séductions de cette parole ne sauraient tenir contre la science qu'ils ont des textes. Ce sont des exégètes. Et pourtant il en était un, parmi eux, qui dans le secret de son cœur, tout comme les humbles soldats, jugeait aussi que jamais homme n'avait parlé comme cet homme. Seulement ce Nicodème poussait la prudence jusqu'aux confins de la lâcheté. Il avait passé tout de même une nuit face à face avec Jésus, seul avec lui, et son cœur en demeurait embrasé; mais il recouvrait ce feu de cendre... Pourtant, il fit ce jour-là appel à tout son courage et sa voix tremblante s'éleva : " Nous est-il permis de condamner un homme sans l'avoir entendu ? " Les Pontifes firent front contre le suspect : " Toi aussi, es-tu Galiléen ? Examine donc les Écritures ! "

Nicodème baissa le nez et dut regagner sa maison en rasant les murs.

17

La femme adultère.

Cette même nuit, le Fils de l'homme la passa sur la montagne des oliviers : ou peut-être descendit-il jusqu'à Béthanie. Dès l'aube, il retourna dans le Temple où déjà le peuple s'amassait. Et voici qu'une troupe s'avança, traînant une femme terrifiée et en larmes. Elle venait d'être surprise en adultère, à la faveur de la nuit. Qui avait eu l'idée de l'amener au Nazaréen ? Il était l'ami des publicains et des femmes perdues, les disciples de Jean eux-mêmes pouvaient en témoigner. Or la loi est formelle, en ce qui concerne les fiancés coupables (et à plus forte raison les femmes mariées) : on doit les lapider. C'est écrit. Le texte est clair. Les Docteurs l'entourent et l'interrogent avidement, assurés de le prendre en faute : " Et vous donc ? que dites-vous ? "

Il s'agissait bien pour eux de cette lamentable créature ! Tout leur servait pour perdre celui qu'ils haïssaient. Impossible de prévoir le blasphème de l'imposteur. Mais qu'il blasphémerait, ils en étaient certains d'avance. Tandis qu'ils se pressaient autour de lui, criant et l'apostrophant, la triste femme demeurait debout, décoiffée, à peine vêtue; morte de peur, elle fixait, d'un œil traqué, cet inconnu que les Prêtres lui donnaient pour juge.

Lui, il ne la regardait pas. S'étant baissé, il écrivait sur la terre avec le doigt. Saint Jérôme assure que c'étaient les péchés des accusateurs qu'il dénombrait ainsi. La vérité toute simple est tellement plus belle ! Le Fils de l'homme, sachant que cette malheureuse défaillait moins de peur que de honte, ne la regardait pas parce qu'il est des heures dans la vie d'une créature où la plus grande charité est de ne pas la voir. Tout l'amour du Christ pour les pécheurs tient dans ce regard dérobé. Et les chiffres qu'il traçait sur la terre ne signifiaient rien de plus que sa volonté de ne pas lever les yeux vers ce pauvre corps.

Il attendit donc que la meute eût fini de donner de la voix, et dit enfin :

— Que celui de vous qui est sans péché, jette la première pierre contre elle.

Et il se baissa et il écrivait de nouveau sur la terre. " Ayant entendu cette parole, et se sentant repris par leur conscience, ils se retirèrent les uns après les autres, les plus âgés d'abord, puis tous les autres, de sorte que Jésus resta seul avec la femme qui était là au milieu. "

Les plus vieux d'abord... cette fois-ci il leur imposait à tous une grâce de lucidité. Ses ennemis connaissaient le pouvoir qu'il détenait de lire dans les cœurs. Chacun sentit bouger en lui l'acte secret qu'il cachait aux regards depuis des années, l'habitude, la chose honteuse. Si le Nazaréen se mettait à crier soudain : " Et toi, là-bas ? tu ne t'en vas pas ? Que faisais-tu donc hier, à telle heure, en tel lieu ? "

Jésus resta donc seul avec la femme. Après tout, il n'était pas son juge naturel. Puisque ses accusateurs avaient disparu, elle aurait dû en profiter pour s'enfuir, elle aussi, et se mettre à l'abri. Pourtant elle demeure là, celle qui cette nuit encore se livrait aux délices de son crime. Elle avait beaucoup souffert, beaucoup lutté contre elle-même avant de succomber. Et voici qu'elle ne pense plus à son amour ni à personne qu'à cet inconnu qui la regarde, maintenant, parce qu'ils sont seuls et qu'elle n'est plus humiliée. Et elle aussi le regarde, encore pleine de honte, mais ce n'est plus la même honte. Elle pleure à cause du mal qu'elle a fait. Le désir se retire d'elle. Tout à coup, dans son cœur et dans sa chair, règne un grand calme : ô sang moins facilement apaisé que la mer de Tibériade ! Rien d'humain n'était étranger au Nazaréen; mais parce qu'il était Dieu, il savait ce qu'aucun mâle ne peut savoir : cette faiblesse invincible de la femme, cette créature couchante et rampante qu'elle devient à certaines heures, devant certains êtres. Et ce serait, dans les siècles des siècles, la plus extraordinaire victoire du Fils de l'homme, la plus commune aussi, la plus répandue (au point qu'elle ne nous frappe plus...) qu'il substituerait, dans des légions de femmes saintes, sa propre exigence à l'exigence de leur sang.

De celle-là déjà il était le maître. Il l'interroge : " Femme, où sont ceux qui vous accusaient ? Est-ce que personne ne vous a condamnée ? " Elle répondit : " Personne, Seigneur. " Jésus lui dit : " Je ne vous condamne pas non plus. Allez, et ne péchez plus. "

Elle s'éloigna. Elle reviendrait; ou plutôt elle n'avait pas besoin de revenir : ils étaient unis, dès maintenant à jamais. Ainsi le Christ se formait-il, sous l'apparence de son immense échec, une clientèle dans les bas-fonds. Il amassait un trésor secret avec ces cœurs de rebut, avec la vomissure du monde. Une branche de coudrier ne lui était pas nécessaire pour déceler dans les êtres en dépit de toutes les misères visibles cette source de souffrance et de tendresse sur laquelle il avait pouvoir.

L'égal du Père.

C'était une halte dans ce combat sans merci où il se trouvait engagé maintenant et qui ne cesserait plus jusqu'à cette troisième heure, à la veille du sabbat, où son souffle s'exhalerait, une suprême fois, de l'unique plaie qui serait son corps. Il ne ménageait plus rien, se battait à visage découvert et seul (ses disciples demeurant un peu en retrait) dans la ville même où régnait l'ennemi, le Pharisien, le prêtre, où les ordres déjà étaient donnés pour son supplice, où il n'y avait plus entre la croix et lui que cette parole adorable qui clouait sur place les soldats venus pour l'arrêter.

Il ne s'agissait pas d'éloquence, ni d'aucun don humain. C'était un pouvoir qu'aucun homme n'avait avant lui détenu, de toucher au plus intime, d'aller droit au secret de chaque créature. Les quatre grands candélabres qui avaient été allumés, le premier soir de la fête des tabernacles, dans le parvis des femmes, ne brûlaient plus. Dans le parvis du trésor, Jésus criait : " Je suis la lumière ! " et comme les Juifs se moquaient de ce témoignage qu'il se rendait à lui-même, il leur jetait à la face le secret de ses deux natures : " Si vous me connaissiez, vous connaîtriez aussi mon Père. »

Le crime de se faire l'égal de Dieu, il ne pouvait plus ouvrir la bouche sans le commettre. Mais les Juifs, qui savaient ce qu'ils cherchaient, voulaient le lui faire confesser en termes clairs. Ils lui posèrent donc la question : « Qui êtes-vous ? »

Maintenant qu'il est démasqué, que le Dieu impatient fait front contre la meute de ses créatures, il ne se gêne plus pour leur parler de ce trône horrible qu'il touche déjà d'une main sans tremblement : « Quand vous aurez élevé le Fils de l'homme, alors vous connaîtrez qui je suis. » Obstinés, les disciples imaginaient une autre exaltation que celle du gibet. Quel était ce royaume auquel ils allaient atteindre ? Qu'y avait-il derrière la porte déjà entr'ouverte ? Le Maître répétait : « Ma vérité vous rendra libres ! » et comme les Juifs protestaient qu'ils n'avaient jamais été esclaves, il les réduisit au silence par cette affirmation dont chacun d'entre nous, chrétiens, sait qu'elle est vraie, et le sait par une expérience cruelle et bénie : « En vérité je vous le dis, quiconque se livre au péché est esclave du péché. Si donc le Fils de l'homme vous en affranchit, vous serez vraiment libres. »

Secret enfin révélé de sa puissance sur tant d'hommes : ils peuvent douter, nier, blasphémer; ils peuvent le fuir : Ils n'en savent pas moins que lui seul a pouvoir de les affranchir. Ils ne le quittent que pour se mettre sous le joug, que pour tourner la meule, leur meule à eux, qui est leur destin, dont aucune force au monde ne les a jamais délivrés, sauf ce Jésus qu'ils crucifient et qu'ils adorent. C'est en cela, mais dans un sens très étroit qu'on peut accorder à Nietzsche que le Christianisme est, sinon une religion d'esclaves, au moins une religion d'affranchis.

Dans les derniers jours de sa vie, il manifesta si ouvertement sa transcendance, que ceux qui ne le reconnaissaient pas commettaient à ses yeux un crime : " Pourquoi ne reconnaissez-vous pas mon langage ? " demandait le Fils de Dieu démasqué, avec exaspération. Et il leur dénonçait le Menteur dont ils procédaient, ce père du mensonge, le Démon. S'ils n'avaient pas été au démon, ils eussent reconnu le Christ en ces jours où sa nature humaine n'était plus que transparence. Et la preuve, c'est qu'aucun ne trouve rien à répondre, lorsqu'il leur demande : " Qui de vous me convaincra de péché ? "

Non, rien à répondre. Mais comme des enfants qui retournent l'injure : " Je ne suis pas bête, c'est toi qui es bête... " Ils protestaient : " C'est vous qui êtes possédé du démon ! "

Mêlés à cette foule injurieuse, beaucoup de cœurs encore hésitants frémissaient d'amour à l'extrême bord de la vérité. Le Seigneur les sentait battre contre le sien, et, tout à coup indifférent à tant d'outrages, il jetait dans la balance la promesse merveilleuse qui achèverait de lui conquérir ses bien-aimés :

— En vérité je vous le dis : si quelqu'un garde ma parole, il ne verra jamais la mort.

D'un mot, il a franchi une fois encore la frontière de la nature mortelle. Le voici, ce Fils, dépouillé de son humanité, plus nu que ne sera son corps sur la croix, offert à tous les regards dans son impudeur de Dieu :

— Abraham votre père a tressailli de joie de ce

qu'il devait voir mon jour; il l'a vu, il s'est réjoui !

Les Juifs lui dirent : " Vous n'avez pas encore cinquante ans, et vous avez vu Abraham ! " Jésus leur répondit : " En vérité, je vous le dis, avant qu'Abraham fût, je suis. " Alors ils prirent des pierres pour les lui jeter; mais Jésus se cacha et sortit du temple.

Ils ne le poursuivirent pas. Le droit de juger et de condamner appartenait aux Romains. Le Nazaréen n'avait pas dit clairement : " Je suis le Fils de Dieu. " Il aurait fallu que les Princes des Prêtres pussent arguer de ce blasphème abominable pour rendre légitime une exécution sommaire. Ils hésitaient donc.

Mais on eût dit que le Fils de l'homme avait besoin de leur fureur. Il la nourrissait comme quelqu'un qui a peur que le feu ne retombe. Il ne choisit pas au hasard le jour du sabbat pour guérir un aveugle-né.

18

L'aveugle-né.

Les Juifs se demandaient les uns aux autres, en reconnaissant cet homme qui marchait seul dans la rue : " N'est-ce pas celui qui mendiait, vous savez, cet aveugle ? " Mais le mendiant lui-même racontait ce qui lui était advenu : " C'est un nommé Jésus... Il m'a mis de la boue sur les yeux et m'a dit de me laver à la fontaine de Siloé... " Aux Pharisiens, il répéta la même histoire : " Il m'a mis de la boue... Je me suis lavé... " Quelques-uns furent troublés, malgré le péché contre le sabbat, par une telle merveille. L'un d'eux interrogea le miraculé : " Et toi, que dis-tu de cet homme ? " Et le mendiant, naïf : " Bien sûr, c'est un prophète... "

Va-t-il raconter son histoire à toute la ville ? Les pontifes font venir ses parents qui, craintifs, se dérobent : " C'est bien notre fils et il est né aveugle. Pour le reste, il est d'âge à vous répondre, interrogez-le. " Il comparaît de nouveau, et la simplicité de la colombe éclate dans ses réponses : il se tient devant ces renards, comme tous les faibles que l'Esprit couvre de ses ailes : " Rends gloire à Dieu ! nous savons que cet homme est un pécheur. " Il leur répondit : " S'il est un pécheur, je l'ignore; je sais seulement que j'étais aveugle, et qu'à présent je vois. » Ils lui dirent : « Que t'a-t-il fait ? Comment t'a-t-il ouvert les yeux ? » Il leur répondit : « Je vous l'ai déjà dit et vous ne l'avez pas écouté : pourquoi voulez-vous l'entendre encore ? Est-ce que, vous aussi, vous voulez devenir ses disciples ? »

Depuis qu'il était demeuré seul un instant avec la femme adultère, le Fils de l'homme n'avait plus eu de répit dans cette lutte à mort qu'il soutenait. Et voilà encore un cœur simple sur qui se reposer, une margelle où s'asseoir, dans cette dure montée, un Pauvre. Non qu'il ait besoin de personne. Mais il est l'Amour.

Le mendiant chassé avait dû sortir prudemment de la ville. Tout à coup il vit l'Homme sur le chemin. Le miraculé ne savait pas qu'il pût être aveugle encore et qu'une autre lumière existe que celle du soleil. Seulement c'était un cœur pur. Avant de le guérir, le Seigneur avait averti ses disciples que ce n'était pas à cause de ses péchés ni pour ceux de ses parents que ce mendiant avait été aveuglé, mais pour que la gloire de Dieu se manifestât. Or il n'y avait personne à cet endroit de la route. Jésus lui demanda :

— Crois-tu au Fils de Dieu ?

Et l'homme répond :

— Qui est-il, Seigneur, afin que je croie en lui ?

Tout simple qu'il soit, il a déjà deviné. Son âme est ardente en lui, ses genoux fléchissent, il joint les mains.

— C'est lui-même qui te parle.

— Je crois, Seigneur.

« Et se jetant à ses pieds, il l'adora. » Quelques instants seulement... Mais c'est assez pour que l'Amour vivant reprenne souffle.

Le bon Pasteur.

Ainsi s'amassait autour de lui un petit troupeau. Ces brebis ne payaient pas de mine. L'homme de Quérioth le jugeait là-dessus : à quoi sert de gagner des gens de rien ? On n'eût pas trouvé dix hommes influents parmi les disciples. Ce monde-là se disperserait à la première attaque.

Mais Jésus disait : " Mes brebis... ma bergerie... " Elles connaissaient sa voix, et lui connaissait le nom de chacune d'elles ; le nom, mais aussi les troubles, les inquiétudes, les remords, tout le pauvre remous de chaque cœur vivant sur lequel il se penche comme s'il y allait d'un intérêt éternel. Et c'est vrai qu'il y va de l'éternité et que le moindre d'entre nous est chéri d'une tendresse particulière.

Jésus est le pasteur, il est aussi la porte de la bergerie. On n'entre dans la bergerie que par lui. Déjà le Fils de l'homme enseignait au monde qui le refuse : " Il n'est pas vrai que vous puissiez vous passer de moi. Vous n'atteindrez pas la vérité sans moi. Vous la chercherez, pleins de mépris pour ceux qui trouvent, et à cette recherche se ramènera pour vous toute la sagesse humaine, parce que vous n'aurez pas voulu entrer par la porte. "

Maintenant il n'ouvre plus guère la bouche sans faire allusion à sa mort : " Le bon Pasteur donne sa vie pour ses brebis... " et d'un mot écartant les montagnes de Judée, il ouvre une immense perspective : " J'ai encore d'autres brebis qui ne sont pas de cette bergerie... "

Des bergeries partout où il y a des hommes : des enclos limités, séparés de la masse, des " parcs " isolés au milieu d'un monde hostile.

19

Le bon Samaritain.

Le Seigneur s'éloigna un peu de Jérusalem sans quitter la Judée.

Il ne doit pas s'écarter beaucoup de la ville maintenant. Mais il ne faut pas non plus qu'il succombe avant l'heure. Derniers jours d'abandon et de détente où il vide son cœur, où il raconte les paraboles dont l'humanité vit encore. Un scribe lui ayant demandé : " Qui est mon prochain ? " il invente cette histoire de l'homme attaqué par les voleurs sur la route qui de Jérusalem descend sur Jéricho — route appelée par les Arabes " montée de Rouge " à cause de sa couleur. Histoire inventée ? Il est vrai que ce chemin était un coupe-gorge. Et il semble plutôt que le Maître, à mesure que le récit avance, assiste au déroulement non d'une aventure imaginaire, mais qu'il l'a vue, lui qui voit tout, et que l'histoire se passe peut-être en ce moment même à quelques stades de l'endroit où un petit groupe " enchanté " l'entoure et où le scribe de bonne volonté recueille sa parole. Voici donc l'homme roué de coups et blessé, au revers de la route. Un prêtre passe, puis un lévite qui ne tourne pas même la tête. Puis l'homme que méprisent les prêtres : le Samaritain. Celui-là bande les plaies du voyageur après y avoir versé du vin et de l'huile, le hisse sur sa monture, arrive le soir à l'auberge, laisse le peu d'argent qu'il a sur lui; il en rapportera d'autre lorsqu'il repassera. Il a retardé son voyage, il s'est dépouillé de ce qu'il avait.

Béthanie.

Que le Fils de l'homme est détendu, apaisé, à ce moment de sa vie ! A l'entrée de ce même chemin qui descend vers Jéricho, dans le village de Béthanie, il a une maison, un foyer, des amis : Marie, Marthe, son frère Lazare. Jésus s'accorde quelque répit : ce n'est pas qu'il ait besoin de compensations; mais il accepte un peu de repos, un peu de tendresse. Il prend des forces en vue de ce qui va venir. Un lit, une table frugale, des amis qui savent qu'il est Dieu et qui l'aiment dans son humanité... Il chérissait à la fois Marthe et Marie, bien qu'il n'y eût entre elles aucune ressemblance. Marthe s'affairait pour le servir, tandis que Marie, couchée à ses pieds, écoutait sa parole, et l'aînée s'irritait d'avoir toute la besogne sur les bras. Et le Seigneur :

— Marthe, Marthe, vous vous inquiétez et vous agitez pour beaucoup de choses. Une seule est nécessaire. Marie a choisi la bonne part qui ne lui sera point ôtée.

Ce que certains traduisent, sans doute à tort : “ Ne vous fatiguez pas, un seul plat suffit... ” Mais telle est l'importance donnée à ses moindres paroles par ceux qui l'aiment que la doctrine de l'Église sur la contemplation et sur l'action est fondée sur celle-là... Et il est pourtant vrai que la meilleure part c'est d'aimer et d'être aimé et de demeurer attentif, assis aux pieds du Dieu que l'on aime. Mais il est doux aussi de le servir dans ses pauvres, tout en ne perdant jamais le sentiment de sa présence. O ruse adorable de tant d'âmes qui sont à la fois Marthe et Marie !

Jésus n'avait pas besoin d'être homme pour aimer Marthe, Marie et Lazare. Mais il fallait qu'il le fût pour les aimer périssables, pour s'attacher à ce qui en eux demeurait dépendant de la mort. C'est encore l'automne; en s'éloignant de Béthanie il dut frémir à cause de ce qui bientôt s'accomplirait dans cette maison : le dernier soupir de ce Lazare dont rien ne nous est connu : la visitation de la mort, le combat du Christ contre elle, et cette victoire... Sans doute la voyait-il déjà dans son cœur et débordait-il d'amour pour le Père lorsque sur le chemin, ses disciples lui demandèrent tout à coup : " Apprenez-nous à prier... " Il leva les yeux au ciel et commença : " Notre Père... "

Pater noster.

Ces simples mots qui ont transformé l'humanité ont été prononcés à mi-voix, dans un petit groupe, par l'homme qui sortait d'une maison amie, aux abords du village. Que Dieu soit notre Père, que nous ayons un Père dans les cieux, qu'il existe, ce Père qui est au ciel, il faudra du temps au monde pour le comprendre. Les Juifs le savaient sans doute... Mais ils croyaient en un Père redoutable, terrible dans ses vengeances. Ils le connaissaient mal, ils ne savaient pas qui il était.

Le Seigneur va leur apprendre comme il faut lui parler, et qu'on peut obtenir de lui tout, et qu'il ne faut pas craindre d'insister ni de l'importuner; car c'est cela qu'il attend de nous : la familiarité de l'enfant, cette confiance aveugle des petits enfants dans leur père. Un père dont le règne n'est pas venu encore, dont la volonté se heurte à la créature capable de choisir le mal, de préférer le mal. " Que votre volonté soit faite... " *sur la terre*, dès maintenant. Le règne de la Justice est pour tout de suite. Qu'il nous donne notre pain, qu'il nous remette nos péchés, qu'il nous délivre du démon... de ce démon dont ses ennemis accusent Jésus d'être le suppôt.

Les méchants l'avaient rejoint. Il n'était pas si éloigné de Jérusalem qu'à un léger changement dans les dispositions de l'auditoire il ne comprît que le levain des Pharisiens s'y était introduit. Le jour où il délivra un possédé muet, le bruit se répandit : " C'est par Beelzéboub qu'il chasse les démons. " Comme hier à Jérusalem, ils l'accusaient d'être au service de l'Immonde, du malin, de celui qu'en extase il avait vu tomber du ciel, pareil à la foudre.

Le péché contre l'esprit.

Monotonie de cette accusation; éternelle petite vague de blasphème contre laquelle il ne peut rien (quel mystère !) tout Dieu qu'il soit, et sur laquelle il ne gagne rien. Et pourtant ce n'est plus qu'une question de mois, de semaines, de jours; et les jeux seront faits. Et la partie sera gagnée ou perdue. Non, elle ne peut pas être perdue; mais elle le sera dans la mesure où la créature libre tient en échec l'amour infini. Connaît-il cet échec ? Oui, il sait qu'il y court tout droit, à cause de ces prêtres têtus, de ces scribes imbéciles avec leurs œillères, leur harnachement de prescriptions littérales, et tous les grelots de la lettre et de la loi ! Et ils confondent l'Agneau de Dieu avec ce Beelzéboub dont le nom signifie dieu des mouches, ou dieu du fumier !

Le Fils de l'homme s'efforce de se contenir, mais il est atteint au mystère de son être. Il répond, sans violence d'abord : " Comment Satan chasserait-il Satan ? Tout royaume divisé contre lui-même périra. "

Malgré lui, sa voix est tremblante, sa bouche frémit. Où donc est la paix de Béthanie, l'odeur du repas, le soir, et Marthe qui s'affairait dans la cuisine ? Où sont les yeux levés et les mains jointes de Marie ? Sa fureur et sa douleur éclatent tout à coup : ceux qui l'ont confondu avec Beelzéboub ont commis le crime des crimes.

— En vérité je vous le dis, tous les péchés seront remis aux enfants des hommes, même les blasphèmes qu'ils auront proférés. Mais celui qui aura blasphémé contre l'Esprit saint n'obtiendra jamais le pardon; il est coupable d'un péché éternel.

Il n'y a pas de mystère dans le " péché contre l'Esprit ". Le texte de Marc est limpide : " Jésus parla ainsi parce qu'ils disaient : il est possédé de l'esprit impur. " Le renversement de la conscience, l'affirmation que le mal est le bien, voilà le crime irrémissible lorsqu'il est commis par un homme éclairé des lumières de la foi et qui, sachant que le Mal est quelqu'un et que le Bien est aussi quelqu'un, se complaît dans un sacrilège équivoque, impose dans sa propre vie, au Christ, le rôle du démon, le chasse comme une tentation, et en revanche adore l'Immonde, lui ouvre sciemment son cœur et consent à être comblé par lui de délices.

Il existe donc un péché éternel. A ce moment, la pensée du Christ va à celui auquel on l'a comparé. Ce Dieu offensé paraît plus redoutable peut-être lorsqu'il demeure froid : les misérables, pensait-il, parlent bien légèrement de Beelzéboub, qu'ils traitent de " dieu du fumier "... Mais s'ils le connaissaient, ils ne souriraient pas. Et tout à coup, des paroles lui échappent, sur lesquelles glissent les commentateurs prudents, et qui sont faites pour glacer d'effroi ses plus chers amis, — et eux surtout : " Lorsque l'esprit impur est sorti d'un homme, il va par des lieux arides, cherchant du repos. N'en trouvant point, il dit : je retournerai dans ma maison d'où je suis sorti. Et quand il arrive, il la trouve nettoyée et ornée. Alors, il s'en va, prend avec lui sept autres esprits plus méchants que lui, et entrant dans cette maison, ils s'y établissent : et le dernier état de cet homme est bien pire que le premier. "

Il est doux de redevenir pur, d'avoir nettoyé l'écurie jusqu'au dernier excrément et de l'avoir ornée comme pour un festin de noces. Mais le troupeau immonde que l'homme purifié avait chassé, revient, un soir, souffler contre la porte; et nous entendons le reniflement de tous ces groins...

Les femmes écoutaient ces choses sans les comprendre, comme elles font encore, suspendues à ses lèvres, enchantées par sa seule voix. L'une d'elles l'interrompit pour lui crier : " Heureux le sein qui vous a porté et les mamelles que vous avez sucées ! "

Peut-être était-ce une Nazaréenne, et elle voulait faire plaisir à Marie cachée avec elle dans la foule. Mais le Christ n'était pas dans une heure d'attendrissement; et il répondit d'une voix dure : " Heureux plutôt ceux qui écoutent la parole de Dieu et qui la gardent. "

L'écouter, cette parole, n'est rien, l'accepter avec amour n'est rien, la garder est tout. La garder contre l'esprit impur, un et multiple, fourmillant. Parmi les convertis au Christ, certains n'éprouvent plus qu'horreur et que dégoût de leurs crimes pardonnés; ils en sont guéris comme le lépreux de ses ulcères. Mais chez d'autres, une brèche demeure ouverte : comme si l'amour du Christ reculait devant certaines plaies qui ne se cicatrisent qu'à demi, se rouvrent, continuent de " donner ".

Aucune voix n'osait plus s'élever. Mais les pensées cachées de ces Juifs souffletaient le Christ. A ce moment-là, le Fils de l'homme éclate enfin : cette génération demande un signe ? Elle l'aura ! ce sera celui de Jonas. Cela signifiait qu'il demeurerait trois jours dans la terre et qu'il ressusciterait. C'était incompréhensible pour ceux qui l'écoutaient. Mais justement : il voulait que ce fût incompréhensible et il criait que cette génération serait condamnée au jour du jugement. La reine de Saba s'élèverait contre eux, et les Ninivites qui, eux, avaient fait pénitence...

Un Pharisien mielleux l'interrompit : c'était l'heure du repas, ne voulait-il venir manger dans sa maison ? Jésus ravala sa colère et, sans daigner répondre, le suivit, et prit place, ne songeant même pas à se laver les mains, selon le rite. Le Pharisien s'en étonnait, mais se gardait bien de rien dire à ce furieux. Il oubliait le pouvoir qu'avait le Nazaréen de lire dans les cœurs. Il n'en fallut pas plus que cet étonnement muet de son hôte, pour que le Fils de l'homme se dressât encore, — d'autant plus terrible dans ce renouveau d'indignation que par bienséance, à cette table étrangère, il l'avait refoulée. Mais cette fois, il ne s'arrêtera plus : le reproche se gonfle en injure, l'injure en outrage, l'outrage en malédiction : le Fils de l'homme est fils de Juive, et c'est un Juif véhément et gesticulant qui crie : " Malheur à vous, Pharisiens, qui payez la dîme de la menthe, de la rue et de toutes les herbes, et qui n'avez nul souci de la justice et de l'amour de Dieu ! C'est là ce qu'il fallait pratiquer, sans omettre le reste. Malheur à vous, Pharisiens, qui aimez qu'on vous donne les premiers sièges dans les synagogues, et qu'on vous salue dans les places publiques ! Malheur à vous parce que vous ressemblez à des sépulcres qu'on ne voit pas, mais sur lesquels on marche sans le savoir ! "

Le scandale était à son comble. Un Docteur de la loi crut devoir le rappeler à la raison : " Maître, en parlant de la sorte contre les Pharisiens, vous nous outragez aussi... " Le Fils de l'homme se retourna contre ce nouvel ennemi, plus exécré encore que le Pharisien. Car les Docteurs, les enseignants empoisonnent les petits ; — et d'autant plus exécré que Celui pour qui le temps n'existe pas, voyait dans ce chétif Docteur d'Israël le représentant d'une race qui serait plus forte que son amour. Le Christ savait qu'il demeurerait sans pouvoir contre eux, pendant combien de siècles ! et c'est pourquoi, soulevé de colère, lui qui était l'Amour, il les accabla d'imprécations sublimes : " Et à vous aussi, Docteurs de la loi, malheur ! parce que vous chargez les hommes de fardeaux qu'ils ne peuvent porter, et vous-mêmes vous n'y touchez pas d'un seul doigt ! Malheur à vous qui bâtissez des tombeaux aux prophètes et ce sont vos pères qui les ont tués... Malheur à vous, Docteurs de la loi, parce que vous avez enlevé la clef de la science; vous n'êtes point entrés, et vous avez empêché ceux qui entraient ! "

Il faut comprendre l'accablement de cet homme qui est Dieu et qui a à chaque instant présent à l'esprit les comptes de millions d'âmes écartées de la source d'eau vive. Et comme déjà la croix se dessinait sur l'horizon, qu'il en était tout proche, qu'il commençait d'avoir le goût du sang dans la bouche, il ne voyait plus que ce gibet et autour de lui, toutes les croix, tous les bûchers, tout l'appareil sanglant de la férocité humaine.

Il rassure les siens.

Il sortit paisible dans un silence de mort, maître de lui, car ses violences mêmes étaient mesurées, réglées par son Père. Et des milliers d'hommes le suivaient " au point de se fouler les uns les autres " dit saint Luc. Car il parlait avec autorité et ce que beaucoup de ces pauvres gens pensaient tout bas, lui le proclamait au péril de sa vie. Car ils le suivaient en tremblant. Ils avaient peur de ces puissances si témérairement bravées par le Fils de l'homme et dont la vengeance serait implacable. Et eux-mêmes, tout humbles qu'ils fussent, sentaient peser sur eux la menace. Jésus a traité les Docteurs d'assassins... Et c'est vrai qu'ils ne reculent devant aucun meurtre.

Alors, d'une voix que l'invective avait brisée, il rassura les siens, ces petits rassemblés sous son aile : " Je vous dis, à vous qui êtes mes amis... " Paroles qui devaient enflammer chacun de ces cœurs. Il leur disait qu'il ne faut pas craindre ceux qui ne peuvent tuer que le corps. Qu'ils ne s'inquiètent pas de ce qu'ils auront à répondre quand on les interrogera dans les synagogues; qu'ils ne redoutent pas les magistrats ni les autorités... Il ressemble si peu au Maître dont les effrayait tout à l'heure la voix tonnante, que l'un d'eux ose l'interrompre pour lui demander : " Maître, dites à mon frère de partager avec moi mon héritage... " Jésus répond sans irritation que ce n'est pas à lui à faire des partages.

Il veut à la fois les rassurer et les effrayer, leur donner le sentiment de l'incertitude afin qu'ils demeurent la ceinture aux reins, la lampe allumée, parce que l'époux peut surgir à chaque instant. Et telle est son insistance qu'on comprend que ces pauvres gens aient cru, après la Passion, à un retour prochain du Seigneur. Pourtant il parlait surtout de sa brusque venue dans la vie de chacun de nous en particulier. Le Fils de l'homme viendra à l'heure que nous ne pensons pas. Il s'agit de créer en nous un état d'inquiétude et de veille.

Soupirs d'impatience et d'angoisse.

Les instructions du Seigneur sont coupées de soupirs d'impatience et d'angoisse. Il touche au Golgotha et le monde demeure pareil à ce qu'il était. Quand donc tous ces cœurs vont-ils commencer de flamber ? « Je suis venu jeter le feu sur la terre et que désiré-je, sinon qu'il s'allume ? » Cette profonde conscience qu'il a eue de sa mission, dès le commencement, éclatait dans cette parole. Mais en même temps, il devait être sensible à ce contraste : l'univers entier à embraser, et il est à deux mois de subir la mort des esclaves ! Et certes les signes ne manquent pas, dans ce coin du monde où Dieu s'est abattu. Mais ces imbéciles ne voient rien : « Lorsque vous voyez la nuée se lever au couchant, vous dites aussitôt : la pluie vient ; et cela arrive ainsi ; et quand vous voyez souffler le vent du midi, vous dites : il fera chaud, et cela arrive. Hypocrites, vous savez reconnaître les aspects du ciel et de la terre : comment donc ne reconnaissez-vous pas le temps où nous sommes ? »

Bref séjour à Jérusalem.

Il fit vers ce moment-là, seul ou presque seul, un bref séjour à Jérusalem pour la fête de la Dédicace qui se célébrait en plein hiver. Huit jours d'illuminations et de foule. Le Seigneur se tenait à l'abri, sous le portique de Salomon, et les Juifs, selon leur méthode immuable, le harcelaient de nouveau pour qu'il se découvrît : « Jusques à quand tiendrez-vous notre esprit en suspens ? Si vous êtes le Christ, dites-le-nous franchement. » Et lui, prudent comme le serpent, se joue d'eux : ses œuvres rendent témoignage de lui. Et ils ne croient pas en lui parce qu'ils ne sont pas de ses brebis. Il les écarte, il fait ouvertement son deuil de cette race dure... Et tout à coup, il leur jette cet aveu : " Mon Père et moi nous sommes un... "

C'était énorme, bien que ce ne fût pas la déclaration formelle qu'avaient entendue la femme de Sichar et l'aveugle-né. Les Juifs, interdits, ramassèrent des pierres, mais ils balançaient des mains hésitantes. Afin de se donner du cœur, ils formulaient l'accusation : " Étant homme vous vous faites Dieu... " et lui de les provoquer et de se moquer d'eux en jouant d'un texte de la loi où il est écrit : " Vous êtes des dieux. " Puis cette dernière bravade : " Afin que vous sachiez que le Père est en moi et que je suis dans mon Père... " Les pierres commencèrent de pleuvoir autour de lui. La meute fonça, mais déjà il avait disparu.

20

Le Christ pleure sur Jérusalem.

Il quitta la ville, pendant la nuit, et se réfugia au delà du Jourdain où les Douze l'attendaient, dans cette région, appelée la Pérée, au nord de la mer Morte.

Le voici parvenu à quelques semaines de son martyre. Il demeure à plusieurs stades de Jérusalem où les dernières mesures sont prises contre lui, où l'ennemi se tient à l'affût. Il est las, ce vainqueur dissimulé sous une apparente défaite. Il continue de protester contre l'éternel scandale des Pharisiens parce qu'il chasse les démons le jour du sabbat (encore cette femme courbée depuis dix-huit ans !) La ville autour de laquelle il est errant lui arrache parfois des cris qui ne ressemblent en rien aux imprécations sous lesquelles déjà se délitaient les assises de Capharnaüm, les fondements de Betsaïda et de Corozaïn. Dans Jérusalem, sa ville royale, au lieu même où la terre boirait son sang après que ses amis en auraient bu, eux aussi, dans une nuit de tendresse et d'agonie, il s'efforçait d'atteindre, entre toutes les pierres de Sion, plus dur que la plus dure, le cœur glacé de sa race : “ Jérusalem ! Jérusalem !... ”

S'il a pu, durant ces deux ou trois ans, s'abandonner

aux anathèmes contre les Juifs, un appel déchirant les recouvre qui, à travers des siècles, et jusqu'à leur consommation, ne finira jamais de harceler le vieil Israël : " Jérusalem, Jérusalem, qui tues les prophètes et lapides ceux qui te sont envoyés, combien de fois j'ai voulu rassembler tes enfants comme la poule rassemble sa couvée sous ses ailes, et tu ne l'as pas voulu ! "

Ainsi le Christ gémissant rôde, en attendant l'heure, autour de son tombeau. Il usera de ce temps pour rassurer le cœur de ceux qu'il a terrifiés. Beaucoup le suivaient dont il avait remis les péchés. Mais peut-être les avait-il troublés par les paroles sur le petit nombre des élus : " Il y a beaucoup d'appelés et peu d'élus... " que notre lâcheté nous porte à juger susceptibles d'interprétations rassurantes... Après s'être crus sauvés, de pauvres gens se demandaient tout à coup s'ils avaient vraiment revêtu la robe nuptiale et s'ils n'étaient pas voués aux ténèbres extérieures; les possédés délivrés frémissaient dans l'attente des " sept démons méchants " dont le Maître les avait menacés.

Prédilection pour les pécheurs.

Maintenant parce qu'il est près de les quitter, l'Amour vivant les rassure. Son désir est que ses fidèles le craignent avec une confiance sans borne, qu'ils se fient à lui d'un cœur passionné, mais en tremblant. " Et j'aspire en tremblant. " C'est cela que le Fils de l'homme attend de nous : défiance de nos propres forces, abandon les yeux fermés à une miséricorde sans rivage.

Hé quoi ? les avait-il tellement effrayés ? Qu'ils sachent donc ce qu'il leur avait déjà laissé entrevoir :

que le pécheur n'est pas seulement aimé, qu'il est aussi préféré. C'est pour lui, qui était perdu, que le Verbe s'est fait chair. Tous ses propos, durant les dernières semaines de sa vie, trahissent cette prédilection pour les cœurs simples, capables d'excès. Lui si dur aux Docteurs et aux Pharisiens, se détend avec les petits. Ce n'est pas par humilité, ni par esprit de sacrifice, qu'il demeure au milieu d'eux. Il les préfère, ou plutôt, il hait le monde et se donne à ceux qui ne sont pas du monde. Hérode, qu'il appelle " ce renard " est le seul être dont il parle avec mépris. Ce lui est un jeu que de battre les savants sur leur propre terrain; mais il se moque bien de réduire au silence des dialecticiens imbéciles ! Sa vraie joie est de se révéler à des hommes pauvres qu'écrasent leurs fautes coutumières et d'ouvrir sous leurs pas un abîme de miséricorde et de pardon.

Ainsi se compare-t-il au maître des brebis qui en abandonne quatre-vingt-dix-neuf pour courir après la centième égarée; et il la rapporte dans ses bras. En l'écoutant, chacun devait songer : " C'est pour moi qu'il parle... " car lequel d'entre eux n'avait pesé, de tout son poids charnel, sur ces épaules sacrées ? Ils ont été ramassés, ils ont été tenus, et pleins de boue, serrés contre cette poitrine. " Il y a plus de joie au ciel pour un seul pécheur repentant que pour quatre-vingt-dix-neuf justes... "

L'enfant prodigue.

Oui, c'est ainsi, et il faut qu'ils connaissent que l'amour est injuste : ce que le monde appelle justice est débordé, submergé par cette passion d'un Dieu qu'aucune de nos passions les plus tristes ne rebute. Et un jour, il leur raconte la parabole du Prodigue... Une parabole ?... Non, une histoire vraie, l'histoire de tous les retours à Dieu, après cette folie qu'est la jeunesse de beaucoup d'hommes. L'enfant a exigé de son père sa part d'héritage, il s'est livré à la débauche, mais il n'a pas exploité prudemment sa passion; il s'est abstenu de ce calcul, de cette ruse qui assure l'impunité à tant d'autres criminels. Sa folie a conduit le gardeur de cochons au dépouillement où l'amour de Dieu l'aurait amené. Les pourceaux lui disputent sa nourriture. Alors il songe à la maison de son père... Quelle merveille de penser que Jésus est près de nous au point d'avoir ressenti ces impressions d'enfant riche et choyé par le doux luxe secret des grandes maisons pleines de celliers et de servantes ! Il connaissait l'odeur de graisse des cuisines de chez nous, le parfum des viandes grillées sur un feu de sarments, le respect tendre des vieux serviteurs nés dans la propriété.

C'est cela d'abord qui ramène l'enfant perdu comme tous les enfants perdus. Ce n'est pas encore l'amour. Pourtant il est reçu dans un délire de joie, on immole le veau gras, on lui donne un anneau, une robe... Mais le fils aîné qui fut toujours fidèle ne reçoit qu'une admonestation à cause de sa jalousie. Injustice de la miséricorde ! Ceux qui ayant risqué, joué et perdu se livrent au Père parce qu'ils n'ont plus rien, l'emportent quelquefois sur les dévots réguliers, aux comptes bien apurés et bien en règle, et qui n'admettent pas l'ombre d'un reproche touchant une seule maille de cette perfection qu'ils tricotent jour après jour. Le fils aîné ne se doute pas de la douceur que trouve un Père et un Dieu au soupir du misérable enfant retrouvé : “ Mon père, j’ai péché contre le ciel et contre vous : je ne suis pas digne d’être appelé votre fils... ” Le Seigneur préfère à tout la reddition d’un cœur qui, ayant brûlé les routes et atteint la limite extrême de sa misère, revient avec la science de son néant, — anéanti à la lettre, et se livre à la miséricorde du même mouvement dont, selon la justice des hommes, il s’abandonnerait aux mains du bourreau.

Mamôna.

Mais ces délices retrouvées sont de l’ordre spirituel; cette abondance de la maison paternelle, ce luxe ne concerne que l’âme. Le Seigneur a un ennemi : l’argent qu’il appelle de son nom de dieu, Mamôna; l’argent ou Lui, il faut choisir. L’idée que les scribes se font de la richesse, signe de bénédiction, récompense de la vertu, lui fait horreur. Le mauvais riche vêtu de lin et de pourpre et qui néglige de nourrir de ses restes le mendiant Lazare accroupi à la porte, ira à la géhenne; l’homme qui a bu et s’est enivré toute sa vie sera torturé par une soif éternelle. Que lui importe la répartition des richesses ? riches ou pauvres, ses amis doivent mépriser Mamôna, et il les reconnaît à ce signe. Les pauvres qui ne vivent que du regret et du désir de l’argent appartiennent à Mamôna autant que les riches. Jésus hait dans l’argent une arme dont l’adversaire use pour lui ravir ses bien-aimés. Car telle est la faiblesse du Christ devant le démon : il ne règne que sur les cœurs dépouillés, et ceux des avares lui échappent. Mamôna fait du Christ cet errant éternel qui trouve partout la place prise.

Judas haïssait en Jésus cette haine de l'argent, lui qui déjà cherchait des compensations dans la bourse commune. Quant aux autres, ils songeaient en eux-mêmes : " Nous, nous avons tout quitté pour le suivre... " Mais le Fils de l'homme ne veut pas de ce contentement secret : l'esclave ne s'enorgueillit pas d'être obligé, au retour du travail, de servir encore son maître. Qu'ils se considèrent donc, même après le don total, comme des serviteurs inutiles.

Les dix lépreux.

Dans ces allées et venues autour de la ville, en attendant son heure, le Fils de l'homme, inlassablement, revient sur les mêmes préceptes. Il sème, il sèmera jusqu'au dernier jour, mais rien ne germe encore : Voici dix lépreux, à l'entrée d'un village, sur les confins de la Samarie, qui l'implorent en l'appelant : " Maître Jésus " comme s'il était Docteur en Israël ! Bien qu'ils soient tous guéris, en allant se montrer aux *prêtres*, un seul revient se jeter aux pieds du Christ, le seul Samaritain de la bande. Le Fils de l'homme connaît les hommes maintenant. Certes, il les connaissait de toute éternité, mais il en a acquis une connaissance charnelle, quotidienne, accablante. Rien ne peut plus l'irriter ni même l'étonner. Aucune surprise, lorsqu'il soupire : " les dix n'ont-ils pas été guéris ? Où sont les neuf autres ? Seul cet étranger est revenu... "

Le royaume intérieur.

Non, il ne s'irritera plus. Les Pharisiens qu'il traîne après lui, comme un bœuf ses mouches, le harcèlent en vain, il souffre tout désormais sans élever la voix, leur répétant inlassablement : que le royaume de Dieu ne sera pas cette aventure éclatante qu'ils attendent et qui est encore l'espérance de ses plus chers amis.

Il est déjà venu, ce royaume; il est intérieur, il est au dedans de nous : c'est ce renouvellement de la personne humaine, cette renaissance de chaque être humain en particulier, ce royaume, c'est l'homme nouveau.

Bien sûr, le Christ aura son jour. Oui, rassurez-vous, vous qui voulez du spectacle, de l'éclat, de la gloire, tout cela vous l'aurez, pauvres enfants ! Ici, le Seigneur fait une pause : attentif à cette occasion de les préparer aux ténèbres toutes proches. Il leur glisse : " Il faut auparavant que le Fils de l'homme souffre beaucoup et qu'il soit rejeté par cette génération... "

Le retour de Jésus.

Et sans s'arrêter, pour couper court à toute enquête trop précise, il revient en hâte à ce qui passionne ces Juifs, leur parle de son jour, de son arrivée, soudaine : aussi prompte que le déluge sur le monde, que le feu sur Sodome; — prophétie qui plane et qui fond à certains moments de l'histoire; que toute catastrophe réalise en partie jusqu'au jour du définitif accomplissement.

Et telle est l'injustice de l'amour : en ce jour-là, de deux femmes occupées à la même besogne, l'une sera prise et sauvée, l'autre abandonnée. Et ils sont tous là comme des enfants qui aiment à avoir peur, curieux de détails précis : " Où sera-ce, Seigneur ? dans quel endroit ? " Et lui : " Où sera le corps, là s'assembleront les aigles. " La mobilisation brusque d'oiseaux avides autour d'un cadavre, donne l'idée de cet instinct qui, des quatre coins du monde, précipitera les âmes élues sur leur agneau immolé et vivant.

Ils essaient de comprendre et se taisent, gagnés par l'angoisse. Alors Jésus leur ouvre cette porte de secours : la prière. Quoi qu'il arrive, qu'ils prient à temps et à contretemps, le jour et la nuit; telle est l'exigence mystérieuse de Dieu : une supplication ininterrompue... Et voici que lui-même s'interrompt, tout à coup, rempli de trouble, terrifié par ce qu'il voit ou par ce qu'il imagine ? Comme si, à cette minute, l'opacité du corps dérobait à son œil de Dieu les déroulements de la vie; — Fils du Père, mais enfoui dans le temps, il se pose à lui-même la question écrasante : " Quand le Fils de l'homme viendra, trouvera-t-il encore de la foi sur la terre ? "

Hypothèse qui confond la pensée... Mais chaque parole du Seigneur a une valeur absolue. Il imagine donc son retour dans un monde où ne subsisterait plus une once de foi, où le Christ Jésus serait plus inconnu qu'il ne le fut de l'empire d'Auguste dans l'étable de Bethléem, où son nom n'éveillerait plus aucun souvenir dans aucune cervelle humaine. L'espace d'une génération suffit pour que le Christ revenant comme un voleur se heurte partout à cette parole : " Nous ne connaissons pas cet homme... "

21

Le mariage.

Les Pharisiens se pressaient de plus en plus nombreux, à mesure qu'il approchait de leur guêpier, Jérusalem. Avec leur idée fixe d'opposer le Nazaréen à la loi et de l'acculer au blasphème, ils lui donnèrent prétexte de s'expliquer sur l'union indissoluble de l'homme et de la femme, — indissoluble quoi qu'il arrive et dans tous les cas... En dépit de Moïse ? oui, en dépit de Moïse : " C'est à cause de votre cœur dur que Moïse vous a permis de répudier vos femmes. " Il y a donc à prendre et à laisser dans la loi ? Jésus en convient hardiment. Cette indissolubilité partout violée, il l'imposera au monde. Toute génération sera désormais une génération adultère. Les Apôtres bougonnent : " mieux vaut alors ne pas se marier ! " Terrible loi. Mais Jésus sait qu'il vient d'ouvrir une porte, de creuser un passage de nous à lui. Il sait ce qu'il exige de ses plus chers amis, non pas une mutilation de la chair, mais qu'ils établissent leur demeure au delà du fleuve de sang qui sépare la créature de la Pureté infinie. Le Fils de l'homme n'a pas résolu tous les tristes problèmes du sexe. Pour ceux qui veulent adhérer à lui, il ne résout pas la question, il la supprime. Que les amis du Christ aient apporté en naissant cette inclination, cette tendance, qu'ils subissent le poids de telle ou telle hérédité, il l'ignore, il exige d'eux la table rase, le refus d'assouvir, hors le mariage, toute soif. Scandale des scandales aux yeux des païens, crime contre la nature, diminution de l'homme... Mais lui, il se moque de l'approbation du monde : " Ce n'est pas pour le monde que j'ai prié... " (La dernière des paroles impitoyables qu'il ait prononcées !) Le Fils de l'homme sait que par la pureté nous allons à lui et qu'il n'existe pas d'autre route, et que la chair recèle une possibilité de délices, une exigence qui, se fortifiant de l'assouvissement, donne à la créature l'illusion d'un plaisir infini, — que la chair est sa rivale enfin. Aussi comme il s'indigne de voir les Apôtres repousser durement les enfants qui se bousculent autour de lui ! En ceux-là du moins, la convoitise n'est pas encore éveillée.

Incroyable exigence ! Il faut se faire semblable à eux pour pénétrer dans le Royaume; redevenir enfant, être un petit enfant. " Quiconque ne recevra pas le Royaume de Dieu comme un petit enfant n'y entrera point. "

Le jeune homme riche.

Les enfants ne sont pas les seuls à faire battre son cœur. Avec l'audace de la jeunesse, un garçon l'interrompt : " Maître, que dois-je faire pour avoir la vie éternelle ? " Jésus, sans d'abord prendre garde à qui lui parle répond : " Tu connais les commandements ? " Il les énumère. Et le jeune homme :

— Maître, j'ai observé toutes ces choses dès ma jeunesse...

Cela fut dit sans doute avec le ton de simplicité, d'humilité qui touche le Christ. Alors seulement il lève les yeux sur celui qui a parlé : " Jésus l'ayant regardé, l'aima. " Après l'avoir regardé... Une certaine expression touchait le Fils de l'homme, — cette grâce d'un jeune être : cette lumière des yeux qui vient de l'âme. Il l'aima donc et comme un Dieu à qui tout est soumis, sans aucune préparation, presque brutalement :

— Il te manque une chose : vends tout ce que tu as, donne-le aux pauvres, et tu auras un trésor dans le ciel. Puis viens, et suis-moi.

Si Jésus ne l'avait pas aimé d'une dilection particulière, sans doute eût-il donné à ce jeune homme la force de quitter tout comme d'autres l'avaient fait. Il l'eût soumis à une grâce toute puissante. Mais l'amour ne veut rien obtenir de ce qu'il aime, qui ne soit librement consenti. Pour être ravi de force, cet inconnu n'était-il pas trop aimé ? Il se peut que le Fils de l'homme ait attendu de lui un mouvement spontané du cœur, un élan. " ... Mais lui, affligé de cette parole, s'en alla triste, car il avait de grands biens. "

Il se perdit dans la foule, et Jésus le suivait du regard, bien au-delà de l'espace, dans les profondeurs du temps, — de misère en misère, car ceux que le Christ a appelés et qui se sont détournés, tombent, se relèvent, se traînent avec leurs yeux pleins de la lumière du ciel, avec leurs vêtements souillés, leurs mains déchirées et saignantes.

La douleur qu'il éprouve se trahit dans l'excès de

la malédiction contre les riches, fulminée presque aussitôt : “ Qu’il est difficile aux riches d’entrer dans le Royaume de Dieu... plus difficile qu’à un chameau de passer par le trou d’une aiguille... ”

Il parle ainsi, l’œil toujours fixé sur le jeune homme triste qui s’éloigne. Mamôna entraîne cette âme qu’il a aimée, et les autres ne comprennent rien à son amertume : “ Qui donc pourra être sauvé ? ” soupirent-ils.

Qui donc pourra être sauvé ? Pensée torturante pour les saints eux-mêmes. La tristesse de ses amis attendrit Jésus. Parce qu’il est le Fils de Dieu, l’auteur de la vie, il va détruire d’un mot tout ce qu’il vient de dire (peut-être aussi voit-il en esprit cette minute dernière où le jeune être qui s’éloigne, lui sera rendu à jamais par une grâce toute gratuite). “ Rien n’est possible à l’homme, dit-il, tout est possible à Dieu... ” Même de sauver autant de riches qu’il lui plaira d’en sauver ; même de rattraper les créatures les plus déchues, de les prendre de force, de cueillir une âme encore souillée sur une bouche d’agonisant. Tout est possible à Dieu : ceci est vrai à la lettre comme les autres paroles du Seigneur. Tout ! Il avait déjà dit : “ J’attirerai tout à moi. ” O ruse adorable et cachée de cette miséricorde qui échappe à tout contrôle et que rien ne limite ! Tout est possible à Dieu.

Sa sévérité effrayait les Apôtres, mais son indulgence les rendait jaloux. Alors quoi ? tout le monde sera donc sauvé ? Et nous alors ? Pierre murmure :

— Voici que nous avons tout quitté pour vous suivre.

L’Amour vivant les couve d’un regard qui à travers

eux atteint, de siècle en siècle, la foule innombrable des âmes consacrées et crucifiées :

— Je vous le dis en vérité, nul ne quittera sa maison, ou ses frères, ou ses sœurs, ou son père, ou sa mère, ou ses enfants, ou ses champs, à cause de moi et à cause de l'Évangile, qu'il ne reçoive maintenant, en ce siècle même, cent fois autant, maisons, frères, sœurs, mères, enfants et champs, au milieu même des persécutions, et dans le siècle à venir la vie éternelle. "

Les ouvriers de la dernière heure.

Ils l'écoutent avec un contentement qui l'irrite. Ne vont-ils pas croire que tout leur est dû ? Rien n'est dû par l'auteur de la vie à sa créature. Il n'y a plus de droit littéral, quand l'amour règne. Comment le leur faire comprendre ? Ils accepteront mieux une histoire que le précepte nu. Jésus commence donc : " Le royaume des Cieux est semblable à un père de famille qui sortit de grand matin afin de louer des ouvriers pour sa vigne... "

Depuis le temps que cette histoire des ouvriers de la dernière heure scandalise le monde, à quoi bon la raconter ? Le salaire est le même pour ceux qui s'épuisent depuis l'aube que pour ceux qu'il a raccolés au milieu et à la fin du jour. Chercherons-nous des raisons ? Dieu n'a pas de raisons à nous donner. Il n'enlève rien à ceux qui ont porté tout le poids du jour et celui de la chaleur. S'il comble les derniers venus, il est juge de leur amour. Mais n'eussent-ils aucun amour, s'il les aime, s'il les préfère, s'ils correspondent à cette idée mystérieuse que le Christ se fait du charme humain, qu'avons-nous à dire ? Et il leur transfusera souverainement tout l'amour qui leur manque. Nous-mêmes, créés à l'image divine, avons-nous jamais réglé les mouvements de notre cœur ?

22

Résurrection de Lazare.

Les Douze voyaient avec inquiétude leur Maître se rapprocher de Jérusalem, — bien qu'ils fussent livrés à une vague et tenace espérance. Jésus avait un but qu'ils ne connaissaient pas. Un dernier geste à accomplir. La petite troupe encore à l'abri sur les terres d'Hérode, fut rejointe par un messager, envoyé de Béthanie : " Lazare, celui que vous aimez, est malade. " Le Seigneur, indifférent en apparence, s'attarda deux jours et les Apôtres ne doutaient point que ce ne fût par prudence. Aussi lorsque Jésus, dès le surlendemain, parla d'entrer en Judée, ils ne dissimulèrent pas leur effroi ni leur déconvenue : " Maître, les Juifs veulent vous lapider, et vous retournez chez eux ? " Il ne les écoutait pas, il disait : " Notre ami Lazare dort, et je vais le réveiller. " Et comme les disciples, à la fois naïfs et astucieux, hochaient la tête, et se rassuraient : " S'il dort, il guérira... " (avec l'arrière-pensée de rester en lieu sûr...)

— Il est mort, dit Jésus. Et je me réjouis, à cause de vous, de n'avoir pas été là. Mais allons vers lui.

Pierre devait être absent (ce qui expliquait le silence

des synoptiques au sujet de Lazare) puisque c'est Thomas, appelé Didyme, qui occupe sa place, en cette circonstance et qui réconforte les peureux : « Allons-y aussi, afin de mourir avec lui. »

« Jésus, étant arrivé, trouva que Lazare était depuis quatre jours dans le sépulcre, et comme Béthanie était près de Jérusalem, à quinze stades environ, beaucoup de Juifs étaient venus auprès de Marthe et de Marie pour les consoler de la mort de leur frère. Dès que Marthe eut appris que Jésus arrivait, elle alla au-devant de lui; pour Marie, elle se tenait assise à la maison. Marthe dit donc à Jésus : « Seigneur, si vous aviez été ici, mon frère ne serait pas mort. Mais maintenant encore, je sais que tout ce que vous demanderez à Dieu, Dieu vous l'accordera. » Jésus lui dit : « Votre frère ressuscitera. » Marthe répondit : « Je sais qu'il ressuscitera lors de votre Résurrection, au dernier jour. » Jésus lui dit : « Je suis la résurrection et la vie; celui qui croit en moi, fut-il mort, vivra; et quiconque vit et croit en moi, ne mourra point pour toujours. Le croyez-vous ? » Elle dit : « Oui, Seigneur, je crois que vous êtes le Christ, le Fils du Dieu vivant, qui êtes venu en ce monde. » Lorsqu'elle eut ainsi parlé, elle s'en alla, et appela en secret Marie, sa sœur, disant : « Le Maître est là, il t'appelle. » Dès que celle-ci eut entendu, elle se leva promptement et alla vers lui. Car Jésus n'était pas encore entré dans le village; il n'avait pas quitté le lieu où Marthe l'avait rencontré. Les Juifs qui étaient dans la maison avec Marie, et la consolaient, l'ayant vue se lever en hâte et sortir, la suivirent en disant : « Elle va au sépulcre pour y pleurer. » Lorsque Marie fut arrivée au lieu où était Jésus, le voyant, elle tomba à ses pieds : “ Seigneur, si vous aviez été ici, mon frère ne serait pas mort. ” Jésus la voyant pleurer elle et les Juifs qui l’accompagnaient, frémit, et il dit : “ Où l’avez-vous mis ? ” Ils répondirent : “ Venez et voyez. ” Jésus pleura. Les Juifs dirent : “ Voyez comme il l’aimait ! ”

Pourquoi pleurait-il, lui qui aurait dû rire de joie à cause de ce bonheur inimaginable pour toute créature : arracher à la mort un ami bien-aimé ? Il pleurait Lazare, dans l’instant même où Lazare allait se dresser tout droit et s’avancer vers lui à très petits pas, en sautant peut-être, les pieds et les mains encore embarrassés de bandelettes, le suaire collé à la face. C’est vrai qu’il sortait des ténèbres pour voir le Fils de l’homme y pénétrer à son tour, et par quelle porte ! Mais pourquoi ces larmes puisque Jésus, lui aussi, échapperait à la fois au tombeau, au temps et à l’espace et que déjà Lazare était dans son cœur, éternellement ?

Aucune autre raison à ces pleurs que le “ venez et voyez ” des Juifs, et surtout la parole brutale : “ Il sent déjà; car il y a quatre jours qu’il est là... ” L’odeur de cette chair corrompue arracha des larmes à celui dont le corps ne connaîtrait pas la corruption. Car le Fils de l’homme rappelle vainement à la vie son ami Lazare, il sait bien qu’à la fin les vers seront vainqueurs, et qu’ils n’ont qu’à attendre le retour du ressuscité. Tôt ou tard ce corps recommencera de sentir mauvais. Aucune force au monde ne le sauvera de la pourriture. Nous croyons de toute notre âme à la résurrection de la chair; mais il faut que chaque être humain donne son consentement à cette vocation de pourrir. S’il est malaisé de s’y résoudre pour soi-même, que sera-ce pour les créatures dont nous ont touchés la grâce, la fraîcheur et la force ? Ce qui ressuscitera, sera-ce la fleur humaine que l'œil illumine, que le sang colore et embrase ? Oui, ce sera elle, mais non plus éphémère, et donc ce ne sera plus elle. Le Fils de l'homme pleurait sur ces fruits déjà rongés que sont tous les corps vivants.

La perte de Jésus décidée.

Beaucoup de Juifs crurent en lui, mais d'autres allèrent prévenir les Pontifes qui, aussitôt, s'assemblèrent en conseil. Plus éclatant est le miracle, plus l'imposteur leur semble redoutable et plus ils se fortifient dans leur résolution de l'abattre. Car doué d'une telle puissance, le Nazaréen ne peut que tendre au pouvoir suprême et attirer par là sur Jérusalem la vengeance de Rome. Pilate n'aimait pas les Juifs et avait le poing lourd. Ce ne sont plus ici des théologiens qu'irritent les blasphèmes d'un faux messie, mais des politiques, des gens qui voient loin et qui prennent leurs précautions. Caïphe le Grand Prêtre, prophète à son insu, opine qu'il est bon qu'un seul homme meure pour que toute la nation ne périsse pas.

Le Seigneur, qui avait des intelligences dans le Conseil (peut-être Nicodème), averti du péril, n'est plus qu'un homme traqué qui se terre dans la banlieue. Ephrem, au nord-est de Jérusalem, lui sert de retraite. Mais Pâques approche. Un prophète ne saurait se dispenser de monter au temple. Il suffit à ses ennemis de patienter un peu de temps. Car si Jésus a des intelligences parmi les membres du Conseil, les Pontifes ont un homme à eux parmi les Douze. Celui-là, la résurrection de Lazare n'a pu que l'irriter davantage contre le phraseur incorrigible qui détient un tel pouvoir sur la matière, et ne s'en sert que pour sa perte et pour celle de ses partisans. Non, aucune excuse, à cette défaite. L'homme de Quérioth ignore encore comment, à la dernière minute, il tirera son épingle du jeu. Rien ne presse : Jésus se rapproche de la souricière.

Le voici pourtant qui sort de sa cachette et s'engage sur la route de Jéricho, seul, et derrière lui, les Douze et une petite troupe exaltée qui discutent à voix basse des chances de l'aventure. Ils n'ont rien compris encore ! Quand donc leurs yeux s'ouvriront-ils ? Cette fois, le Christ ne les ménage pas et, d'un seul coup, arrache le voile : " Voici que nous montons à Jérusalem, et le Fils de l'homme sera livré au Prince des Prêtres et aux Scribes. Ils le condamneront à mort et le livreront aux Gentils pour être moqué, flagellé et crucifié. Et il ressuscitera le troisième jour. "

S'attendait-il à des protestations ? Céphas qui se souvient d'avoir été traité de Satan, se tient coi. D'ailleurs, peut-être se sentent-ils moins inquiets : celui qui a ressuscité Lazare est le maître de la vie. Que craindraient-ils ? Ses propos ne leur paraissent pas toujours clairs : cette flagellation ? Ce crucifiement ? des images sans doute. En tout cas il ne lui faudra que trois jours pour entrer dans sa gloire, et il n'y entrera pas seul. Saint Luc le dit clairement : " Parce qu'il était près de Jérusalem, le peuple pensait que le Royaume de Dieu allait bientôt paraître. "

Demande des fils de Zébédée.

Oui, ses amis triompheront avec lui, et d'abord les plus intimes. L'ennui, c'est d'être douze : autant qu'ils s'aiment, chacun voudrait bien s'assurer de la meilleure place dans le royaume qui vient. Les fils de Zébédée intriguent. Jean doit souffler à Jacques : " Au fond, il me préfère à Céphas; et toi, tu es mon frère... " Et Jacques : " Demande-lui que nous ayons chacun un trône à ses côtés... " Mais Jean : " Non, je n'ose pas. " Alors leur mère, Salomé, dut intervenir : " Eh bien, moi, j'oserai ! " On croit entendre leurs chuchotements; voici la mère ambitieuse qui se détache du groupe.

Elle se prosterna aux pieds du Maître : " Que voulez-vous ? " demande-t-il. Elle répondit : " Ordonnez que mes deux fils que voici soient assis l'un à votre droite, l'autre à votre gauche dans votre royaume. "

Naguère encore, avec quelle violence le Fils de l'homme les eût-il rabroués tous les trois ! Mais c'est fini, maintenant, de leur adresser des reproches. Il n'a plus beaucoup de temps à perdre. Quoi qu'ils fassent, le Seigneur traitera ses amis jusqu'à la fin avec une tendresse que Judas lui-même ne pourra fléchir. Il soupire donc, comme un homme qui sera exécuté demain, avec une pitié passionnée (et il regarde surtout celui des deux qui est le plus près de son cœur) :

— Pouvez-vous boire le calice que je dois boire ?

Ils ne savent pas quel est ce calice. Mais d'une seule voix, de toutes leurs forces, avec une violence qui les avait fait surnommer par le Seigneur " fils du tonnerre ", les fils de Zébédée répondent : " Bien sûr, nous le pouvons ! "

— Vous boirez en effet mon calice.

Il est tant de façons d'y boire ! Le martyre que Jacques goûta, vers l'an 44, en est une. Mais il est d'autres angoisses. Nous ne savons ce que fut pour Jean ce calice, mais seulement qu'il y a bu, à longs traits.

Le Maître, cependant, par-dessus eux s'adresse à tous les autres, — en termes clairs, car maintenant il faut que chaque mot porte. Quand comprendront-ils que ses amis doivent fuir la première place à l'exemple du Fils de l'homme venu non pour être servi, mais pour servir ? Ce suprême service qu'il est venu assumer, dont tout à l'heure encore Caïphe le chargeait en plein Conseil, il le leur découvre enfin : " Le Fils de l'homme est venu donner sa vie pour la rançon d'un grand nombre. "

Entrée à Jéricho. Guérison de Bartimée.

Que veut-il dire ? Les voici parvenus aux abords de Jéricho, ville de plaisir d'Hérode, arrosée des eaux de la montagne. Une foule énorme se presse. L'aveugle, Bartimée, entendant ce tumulte, demanda qui c'était, et quand on lui eut dit que Jésus passait, il se précipita, criant : " Fils de David, ayez pitié de moi ! " Et comme on voulait le faire taire, il se mit à hurler. " Appelez-le ", dit Jésus... Ils l'appelèrent en lui disant : " Aie confiance, il t'appelle. " Bartimée, jetant son manteau, se leva d'un bond et vint vers lui : " Que veux-tu que je te fasse ? — Maître, que je voie. " Jésus lui dit : " Va, ta foi t'a sauvé. "

Zachée.

On dirait que le Fils de l'homme achève de répandre à tout venant, de dilapider avant sa mort le trésor de grâces qu'il avait apporté dans le monde. Après cette guérison, la foule devint telle qu'un chef des publicains, un homme fort riche nommé Zachée, petit de taille, dut monter sur un sycomore pour le voir. Jésus connaissait le cœur de cette créature méprisée. Il leva les yeux et l'appela : " Zachée, descends vite, car je loge aujourd'hui dans ta maison. " Zachée se hâta de descendre et le reçut avec joie... Voilà trois ans que ses ennemis l'accusent de fréquenter les pécheurs. Jusqu'à la fin il fera ses délices de ceux qui l'ont préféré à leurs souillures.

23

Le repas chez Simon.

Un dernier repos avant les ténèbres, encore un peu de chaleur humaine : Jésus recru de fatigue, n'ira pas directement de Jéricho à Jérusalem. Il lui faut contempler une fois encore des visages amis, ce Lazare qui ne se souvient pas du rivage des morts d'où le Christ l'a retiré. L'affairement de Marthe, bien loin de l'irriter, lui sera cette fois non moins doux peut-être que la contemplation de Marie; car ceux qui vont mourir aiment être bercés et comblés d'humbles prévenances. C'est le samedi, le sixième jour avant la Pâque.

Un lépreux qu'il avait guéri, nommé Simon, le pria de dîner avec Lazare et les deux sœurs. Marthe, selon la coutume, servait.

Cette Marie qui entra dans la salle avec une livre d'un parfum de nard était-elle la même femme que la pécheresse qui arrosa de larmes ses pieds ? Cette contemplative est-elle aussi une repentie ? Quoi qu'il en soit, Marie a atteint ce degré d'amour qui lui révèle sa propre misère et il ne lui reste plus que d'imiter humblement le geste de la courtisane qu'elle fut peut-être. Elle entra donc comme avait fait l'autre, avec un vase de parfum.

Une atmosphère de fièvre régnait autour de l'homme qui, après avoir ressuscité Lazare, allait à la tête du peuple forcer les portes de Jérusalem, braver les Pontifes, et les Romains eux-mêmes. L'espérance chez beaucoup l'emportait sur la crainte. D'autant que l'adversaire hésitait : impossible de se saisir du Nazaréen pendant la fête sans ameuter le peuple. Le Conseil avait détaché auprès de lui quelques observateurs. L'homme de Quérioth leur montrait de l'égard, en conservant une certaine réserve : jusqu'à la dernière minute, impossible de prévoir comment tournerait l'aventure. En homme sage, il se tenait donc sur ses gardes, attentif à profiter de l'événement, et en secret amassait un pécule dérobé à la bourse commune : toujours autant de pris.

Un seul cœur, averti par l'amour, discernait dans cet homme couché, dans ce Jésus, une créature à bout de course, un cerf rendu, qui serait demain la proie des chiens. Depuis tant de semaines il tourne autour de la ville, errant de retraite en retraite ! La lampe n'a plus d'huile (la lampe de son corps). Seule reste à Jésus la force de supporter et de souffrir. On imagine ce regard qu'échangent cette sainte femme et le Fils de l'homme. Les autres ne voient rien. Mais lui sait que Marie a compris, tandis que le vase d'albâtre se brise et répand son parfum. Et Marie humblement, comme la pécheresse, essuie, avec ses cheveux, les pieds adorés.

Et tout à coup cette voix de Judas, qui les fait frémir, elle et lui : " On pouvait vendre ce parfum deux cents deniers et les distribuer aux pauvres ! " Jésus tient sous son regard ces deux âmes, l'une consumée d'amour, l'autre d'avarice et de jalousie. Il n'a jamais parlé à Judas qu'avec une grave douceur, comme intimidé par l'horreur de ce destin :

— Laissez-la; pourquoi lui faites-vous de la peine ? C'est une bonne action qu'elle a faite à mon égard car vous aurez toujours des pauvres avec vous, et toutes les fois que vous voudrez vous pourrez leur faire du bien; mais moi vous ne m'aurez pas toujours. Cette femme a fait ce qu'elle a pu; elle a d'avance embaumé mon corps pour la sépulture. Je vous le dis en vérité, partout où sera prêché l'Évangile, dans le monde entier, on racontera aussi ce qu'elle a fait, pour glorifier sa mémoire.

Lui-même annonce sa sépulture ? Judas se rapproche des scribes qui observent... Il n'a retenu que ce mot : sépulture. Il ne voit pas au delà de l'immédiat. Cette brusque illumination sur les siècles qui viennent : " Partout où cet Évangile sera prêché, dans le monde entier... " n'éclaire pas ce cœur nocturne. Lui aussi, peut-être, est-il saisi par les signes de lassitude et d'usure, qui apparaissaient dans Jésus : un homme fini. Et il en est encore à exiger des témoignages d'idolâtrie comme en inventent ces femmes qui lui lèchent les pieds !

Le soir était venu. Une foule s'amassait à Béthanie, accourue de Jérusalem, pour voir Jésus et Lazare. A cette même heure, les Princes des Prêtres réunis en conseil, cherchaient le moyen de les faire périr tous les deux. Nous savons par saint Jean que le Seigneur passa cette dernière nuit à Béthanie, sans doute dans la maison des deux sœurs et du frère. Les disciples étaient occupés avec tout ce petit peuple exalté qui se préparait à accueillir le rabbi : car l'entrée à Jérusalem était fixée au lendemain. Pour lui, il veillait entre ces trois cœurs. Jean devait être là aussi (le seul des évangélistes qui semble avoir bien connu Lazare). Peut-être Marthe elle-même demeura-t-elle tranquille, cette nuit-là, aux pieds du Maître. Peut-être Jésus avertissait-il Marie, en lui montrant son humble sœur : " Elle aussi a la meilleure part qui est de servir les pauvres (les pauvres sont moi-même) sans perdre jamais le sentiment de ma présence. " Au bord de cet océan de souffrance le Fils de Dieu accepte, par humilité, ce réconfort : être aimé de ceux qu'il aime. Il a tout de même connu ce bonheur dont il n'avait pas besoin, lui qui ne recevait rien que de son Père. La maison était pleine du parfum de nard. Marthe avait dû ramasser avec soin des morceaux du vase d'albâtre, et elle les gardait au creux de sa robe. En voyant les yeux fidèles ouverts et levés vers lui, pleins de tendresse et d'angoisse, Jésus songeait-il aux paupières appesanties de ses trois plus chers amis, durant cette nuit de veille, maintenant toute proche ?

Les rameaux.

A l'aube, ils durent le supplier : " Surtout ne passez pas la nuit dans la ville, venez vous cacher ici, le soir. " La foule battait la porte. On lui avait amené un ânon. Il se hissa sur la bête et s'avança au milieu de cris aigus d'enfants et de femmes. Des mains agitaient des rameaux. Le voilà donc ce jour dont avait rêvé l'homme de Quérioth ! Il avait cru que le Maître, à la tête d'un peuple armé et fanatisé, la couronne au front, eût fait trembler les Romains devant sa toute-puissance... Et cet espoir aboutit au triomphe dérisoire d'un rabbi exténué, déjà promis à la potence, d'un hors-la-loi qui donne tête baissée dans le piège, au milieu d'une populace imbécile. Ils peuvent jeter leurs vêtements sous les pas de l'ânon et acclamer le Nazaréen comme Fils de David et Roi d'Israël; chacun de leurs hosannah ajoute une épine à sa couronne, une pointe aux lanières des fouets qui le flagelleront.

Les Pharisiens protestaient : " Vous n'avez pas honte ? Faites-les donc taire ! " Alors le pauvre triomphateur, du haut de son âne, leur jeta le défi sublime où le Dieu se livre : " Si ceux-là se taisent, les pierres crieront ! "

Déjà apparaissaient, dans le soleil du matin, la ville et le temple. Le Christ n'en détournait plus les yeux. Lazare a eu ses premières larmes. C'est sur la ville maintenant qu'il pleure. Il ne la maudit pas, il déchiffre son effroyable histoire; il gémit : " Si tu connaissais, toi aussi, en ce jour qui t'est donné, ce qui ferait ta paix ! Mais maintenant ces choses sont cachées à tes yeux. Viendront sur toi des jours où tes ennemis t'environneront de tranchées, t'investiront et te serreront de toutes parts; ils te renverseront par terre, toi et tes enfants qui sont dans ton sein, et ils ne laisseront pas dans ton enceinte pierre sur pierre, parce que tu n'as pas connu le temps où tu as été visitée. "

Le lundi Saint.

Jérusalem, à l'approche de la fête, regorgeait de Juifs et même de Gentils. " Qui est-ce ? " demandait-on. " Nous l'avons vu de nos yeux... Il a ressuscité Lazare à Béthanie... "

Les Pontifes discutaient : Comment l'arrêter en plein jour, au plus épais de ce peuple fanatique ? Judas Iscariote savait-il où son Maître passait les nuits ? Pour l'instant, à peine descendu de l'ânon, il ne se cachait plus. " Seigneur, avaient demandé plusieurs Gentils à Philippe, nous voudrions bien voir Jésus. "

Si le grain ne meurt...

Il se trouvait, à ce moment-là, dans l'enceinte du temple et annonçait cette heure où le Fils de l'homme allait être glorifié. Quelle sombre gloire ! A l'entendre, pour triompher il faut mourir, pour sauver sa vie, la perdre : " Si le grain de blé qui est tombé à terre ne meurt, il demeure seul; mais s'il meurt, il porte beaucoup de fruits... " (La terre connaissait d'avance le secret du renoncement créateur, de la souffrance rédemptrice. Ce mystère était inscrit dans la nature.)

Aussitôt après ces paroles, Jésus s'interrompt. On croit voir sa main tremblante glisser de son front à ses yeux, comme pour ne pas voir, à deux pas de lui, cette porte ouverte sur les ténèbres : " Maintenant mon âme est troublée, et que dirai-je ? " l'homme en lui se débat; l'agneau sent l'abattoir, ne veut plus avancer, se raidit : " Père, délivre-moi de cette heure ! " Mais aussitôt il se reprend : c'est pour cette agonie et pour cette mort qu'il est venu. Ce n'est plus au peuple qu'il s'adresse mais à lui-même pour se conforter, lorsqu'il jette ce cri de victoire : " Et moi, quand je serai élevé de la terre, j'attirerai tout à moi. " Tout; et ceux même qui le tortureront. Et toutes les choses aussi, et la chair purifiée de Lazare.

On le harcelait de questions absurdes. Il allait mourir, la partie était jouée, et personne encore n'avait compris. Voici venus les derniers jours : plus jamais l'auteur de la vie ne toucherait la terre de ses pieds ni, avec ses mains, les fronts des enfants; et ils n'étaient pas éblouis de certitude ! A bout de forces, ce vaincu ne pouvait plus que répéter d'une voix affaiblie : " Je suis la lumière ! La lumière n'est plus au milieu de vous que pour un peu de temps... Soyez des enfants de lumière. "

Le mardi et le mercredi.

Le soir, comme il l'avait promis, il se cacha à Béthanie et fit de même les jours suivants. Peut-être ne demeurait-il pas dans la maison de Lazare, depuis longtemps repérée. Le versant oriental du Mont des Oliviers où saint Marc nous dit qu'il se réfugiait touche en effet à Béthanie.

Le matin du mardi, il reprit la route de Jérusalem et maudit en passant un figuier qui n'avait pas de fruits, sans doute pour annoncer quel serait le sort de la ville.

Chaque jour, cependant, ils remontent au Temple (quelle fatigue déjà, avant le suprême abattement !) Et il recommence de se battre, soutenu en apparence par tout le peuple. Aux Pharisiens qui l'interrogent comme un coupable, il ose répondre comme leur juge. Contre les ruses de ces renards, il dresse parfois sa ruse divine. S'ils l'interrogent : " Par quelle autorité agis-tu ? " il leur oppose une question : " Le baptême de Jean était-il du ciel ou des hommes ? " Les renards se dérobent et balbutient : “ Nous ne savons... ” car s’ils avaient répondu : “ des hommes ”, ils eussent révolté le peuple qui vénérait son dernier prophète. Et s’ils avaient répondu : “ de Dieu ”, il leur eût répliqué : “ Pourquoi n’avez-vous pas cru en lui ? ” Ils balbutièrent donc qu’ils ne savaient pas. Alors Jésus triomphant :

— Eh bien, moi non plus je ne vous dirai pas par quelle autorité je fais ces choses.

Mais le peuple a compris. Les Pharisiens furieux s’écartent. Le rabbi content de sa victoire redevient familier comme aux premiers jours, raconte des histoires et maintenant chacun commence d’en comprendre le sens. Par exemple, cet homme qui a deux fils et qui dit à l’un d’aller travailler à la vigne, et l’enfant refuse, puis se reprend et il y va. L’autre fils répond : j’y vais Seigneur et n’y va pas... Le plus humble de ceux qui écoutent sait que ce père de famille est le Père céleste et que les prostituées, les publicains qui se sont repentis, sont des enfants de lumière, mais que les Pharisiens soumis à la loi et qui la trahissent dans leur cœur, sont des maudits.

Les vignerons homicides.

Justement, les voici qui reviennent. Le ton du Seigneur change aussitôt, devient agressif. Car c’est pour eux seuls, non pour les disciples, qu’à trois jours de sa Passion il invente cette parabole des vignerons homicides, si audacieuse, si transparente que les Princes des Prêtres veulent se saisir de lui à l’heure même et qu’ils l’eussent fait si le peuple ne leur avait fait peur.

L'homme qui a loué sa vigne envoie un à un ses serviteurs aux vignerons pour recevoir sa part de vin, mais ils les battent tour à tour et les chassent. " Alors le maître de la vigne se dit : " Que faire ? J'enverrai mon Fils bien-aimé, peut-être qu'en le voyant ils auront pour lui du respect. Mais quand les vignerons le virent, ils se dirent entre eux : celui-ci est l'héritier, tuons-le, afin que l'héritage soit à nous. Et l'ayant chassé hors de la vigne, ils le tuèrent. "

Une prophétie à si brève échéance aurait dû toucher leurs cœurs : c'est le Fils bien-aimé qui, en ce moment même, s'adresse aux vignerons homicides; la croix existe déjà quelque part, dans quelque magasin où les gibets sont en réserve. Judas fixe le chiffre de trente deniers; Pilate lit un rapport sur le tumulte que cause parmi le peuple un guérisseur nazaréen. Et cependant cet aventurier fourbu, sur qui la Synagogue a l'œil, et qui n'ira plus loin maintenant, interpelle les renards spécialisés dans les Écritures et leur met de force le museau dans le texte : " Jetant les regards sur eux, Jésus dit : Qu'est-ce donc que cette parole de l'Écriture : la pierre qu'ont rejetée ceux qui bâtissaient est devenue le sommet de l'angle ? Quiconque tombera sur cette pierre sera brisé; et celui sur qui elle tombera sera écrasé. "

S'il y avait au monde un événement imprévisible à cette minute, et à la lettre inconcevable, c'était bien le retentissement universel des démêlés d'un prêcheur nazaréen avec les Prêtres de Jérusalem. Ceux-ci ne s'effrayèrent donc pas. Mais ils se rendaient compte qu'ils n'arriveraient à rien sans les Romains. Le délit de blasphème n'existant pas aux yeux de Rome, il s'agissait de rendre Jésus suspect, et c'est le sens de la question insidieuse posée par des agents provocateurs : " Nous est-il permis de payer le tribut à César ? "

Rends à César...

Vingt années plus tôt, au moment de l'annexion à l'Empire, un autre Galiléen nommé Judas, l'avait tranchée par le refus et avait été massacré, lui et ses partisans. Si Jésus eut recours au mot fameux : " Rends à César ce qui est à César et à Dieu ce qui est à Dieu ", c'est que dans le drame du calvaire, agencé de toute éternité, il ne convenait pas que les Romains eussent un autre rôle que celui de bourreau. Israël se servira d'eux pour immoler sa victime, mais la victime lui appartient d'abord. Rome, en la personne de Pilate, n'a rien trouvé à reprendre dans Jésus.

Mais où s'arrête le droit de César ? où commence le droit de Dieu ? Ici s'amorce un débat sans fin. Jusqu'au jour où cette parole fut prononcée par un pauvre juif réfractaire et voué aux supplices, César était divin et les dieux appartenaient à l'Empire bien plutôt que l'Empire aux dieux. Voici soudain, dressée en dehors, au-dessus de toute tyrannie, la puissance de Celui que l'homme affranchi reconnaît pour son seul Seigneur sur la terre et dans le ciel. La conscience humaine continuera de subir les pires violences; elle n'en est pas moins libre désormais : le martyre n'atteint que le corps et toutes les forces de l'État viendront s'anéantir, de siècle en siècle, au seuil d'une âme sanctifiée.

24

L'obole de la veuve.

Le duel de la synagogue et du Fils de l'homme est au point mort. Les Pharisiens ne l'interrogent plus, pour ne pas être humiliés devant la foule. Au courant de ce qui se trame, ils prennent patience. Parfois le Nazaréen les provoque : " Comment dit-on que le Christ est fils de David ? David l'appelle Seigneur : comment peut-il être son fils ? " Mais ils se dérobent; ils préparent leur réponse qui sera sanglante.

Dans l'attente de l'heure, le Fils de l'homme n'agit presque plus. Il en est à regarder passer les gens : les scribes vêtus de longues robes salués par tous à cause de leurs prières qui n'en finissent pas, les fidèles qui mettent leurs offrandes dans le tronc. Appuyé à une colonne, dans l'enceinte du temple, Jésus s'irrite, se moque des Pharisiens, mais aussi s'attendrit sur la veuve qui offre à Dieu son indigence même. Que vaut une aumône qui ne prive pas ? Peut-être n'avons-nous jamais rien donné.

Prophétie de la ruine du temple et de la fin du monde.

Ainsi, durant ces dernières heures, Jésus en apparence hors de combat, regarde passer les gens, comme un agitateur filé par la police serait assis aujourd'hui à la terrasse d'un café, sachant qu'on peut l'arrêter d'une seconde à l'autre. Comme aucun visage ne retenait plus son attention, ses yeux demeurèrent fixés sur le temple. Une voix familière s'éleva près de lui : " Ah ! Maître, les belles pierres ! Et comme elles sont ornées ! quelle bâtisse ! " Alors Jésus :

— Des jours viendront où de tout ce que vous regardez là, il ne restera pas une pierre sur une autre pierre qui ne soit renversée.

Personne n'osa répondre de ceux qui le suivaient, tandis qu'il franchissait le Cédron qui coule au bas du temple et gravissait le mont des Oliviers. Mais il n'en était aucun qui ne fût accablé par cette prophétie, — la pire qui pût frapper des oreilles de Juif. Enfin ils se décidèrent tous à la fois : " Maître, quand ces choses arriveront-elles ? A quel signe reconnaîtra-t-on qu'elles sont près de s'accomplir ? "

L'homme-Dieu, à bout de course, déjà à demi délivré du temps dans lequel il a été immergé pendant trente années, va parler sans tenir compte de la durée; car il est ce Jésus, ce Seigneur pour lequel, selon la parole même d'une épître de Céphas : " un jour est comme mille ans, et mille ans sont comme un jour... "

Beaucoup d'âmes ont été troublées par cette prophétie de la ruine du temple et de la ville, confondue avec la fin du monde. La foi de beaucoup a été ébranlée par la parole : “ Cette génération ne passera pas que tout cela se soit accompli. ”

Les persécutions contre les Chrétiens, l’investissement et la ruine de Jérusalem, oui cette génération en fut le témoin et la victime. Seuls les Chrétiens surent échapper aux soldats de Rome et trouver le salut dans les montagnes, selon ce que leur avait recommandé le Seigneur : “ Lorsque vous verrez Jérusalem entourée par des armées, sachez que la désolation est proche... Alors que ceux qui seront en Judée fuient vers les montagnes... Qu’ils ne prennent pas le temps de redescendre chercher un manteau... ”

Mais entre cette ruine et les signes dans les astres et les raz de marée qui annonceront le commencement de la fin, Jésus ne place qu’un intervalle indéterminé : “ Jérusalem sera foulée aux pieds par les Gentils, jusqu’à ce que les temps des Gentils soient accomplis. ” Dès qu’il suit de son œil éternel le déroulement de l’histoire, Jésus n’est plus un homme qui prévoit l’avenir, mais ce Fils de Dieu qui, bravant la concordance des temps, criait aux Pharisiens : “ Avant qu’Abraham fût, je suis. ”

Et lui qui sait tout, sait aussi que sa vision n’est pas conforme à celle des siens et qu’elle les induit en erreur. Mais cette erreur bienheureuse les armera d’une espérance assez forte pour conquérir la terre. Rien ne comptera plus à leurs yeux des gloires de ce monde condamné, et condamné à brève échéance. S’ils avaient cru qu’après dix-neuf siècles, les chrétiens en seraient encore à attendre la manifestation du Fils de l’homme, peut-être se seraient-ils endormis.

Au vrai, le Seigneur, en brouillant les perspectives,

ne les trompe pas. Car le monde finit pour chacun de nous, au jour de notre mort. Et c'est vrai d'une vérité individuelle, qu'aucun de nous ne sait ni le jour ni l'heure où le soleil s'éteindra pour lui, où la lune aura fini de baigner les charmilles de son enfance, où les étoiles se perdront toutes à la fois dans l'immense ténèbre qui se refermera sur lui. Et c'est dans chacune de nos vies que l'antéchrist surgit à l'heure où nous l'attendons le moins, que les faux prophètes viennent avec leur poison et les magiciens avec leurs philtres : " Veillez, car vous ne savez ni le jour ni l'heure. " Les vierges sont folles qui n'ont pas pris d'huile avec elles et qui se sont assoupies parce que l'époux tardait à venir, jusqu'à ce qu'elles soient réveillées au milieu de la nuit par le cri terrible : " le voilà ! l'époux est aux portes... " Terreur de la mort subite.

Et sans doute, un jour, Jésus resplendira dans la nuée avec une grande puissance et une grande gloire. Et ce jour-là, le " temps des gentils " nous apparaîtra dans le même raccourci que le vit le Christ, aux jours de sa chair. Dans cette lumière qui éclairera en plein, non pas tant la destinée des races ou des royaumes que celle de chaque âme humaine en particulier, l'histoire du monde se ramènera à des milliards d'histoires individuelles. Et tous les boucs seront à gauche, et à droite les brebis.

" Alors le roi dira à ceux qui sont à droite : venez les bénis de mon Père : prenez possession du royaume qui vous a été préparé dès l'origine du monde. Car j'ai eu faim et vous m'avez donné à manger; j'ai eu soif et vous m'avez donné à boire; j'étais étranger et vous m'avez recueilli; nu, et vous m'avez vêtu;

malade, et vous m'avez visité; en prison, et vous êtes venus à moi. Les justes répondront : Seigneur, quand vous avons-nous vu avoir faim, avoir soif, quand vous avons-nous vu étranger, et nu, et malade, et en prison ? Et le roi leur répondra : En vérité je vous le dis, toutes les fois que vous l'avez fait à l'un de ces petits de mes frères, c'est à moi que vous l'avez fait. "

Quelle espérance ! Tous ceux-là qui découvriront que leur prochain était Jésus même, appartiennent donc à la masse de ceux qui ignorent le Christ ou qui l'ont oublié. Sinon, ils ne lui poseraient pas cette question. Et pourtant ce sont eux, les bien-aimés. Il ne dépend de personne, parmi ceux qui ont la charité dans le cœur, de ne pas servir le Christ. Tel qui croit le haïr lui a consacré sa vie; car Jésus est déguisé et masqué au milieu des hommes, caché dans les pauvres, dans les infirmes, dans les prisonniers, dans les étrangers (les métèques). Beaucoup qui le servent officiellement n'ont jamais su qui il est; mais beaucoup qui ne le connaissent même pas de nom, entendront au dernier jour les paroles qui leur ouvriront les portes de la joie : " C'était moi, ces enfants, c'était moi, ces ouvriers; je pleurais sur ce lit d'hôpital; j'étais cet assassin dans sa cellule, lorsque tu le consolais. "

25

Le jeudi Saint.

Chaque soir le ramenait à Béthanie. L'angoisse de ce qu'il allait souffrir, il l'éprouvait déjà : toute la Passion existait dans sa pensée, il la vivait, coup de fouet par coup de fouet, crachat par crachat. Il traînait déjà ce bois. Vit-il sa mère en ces derniers jours ? Peut-être sortait-elle enfin de sa nuit parce qu'il n'avait plus la force de la repousser. Les disciples observaient leur maître et se taisaient, se raccrochant à sa promesse : Il reviendrait bientôt quoi qu'il dût arriver, comme cet homme parti en voyage et qui frappe à la porte, la nuit, ou au chant du coq... Oui, ils veilleraient. Un soir, l'un d'eux dut demander aux autres : " Où est Judas ? "

Quelqu'un répondit que l'économe n'osait plus reparaître dans la maison de Béthanie après ce qu'il avait dit au sujet du parfum de nard. Et Jésus qui sans doute marchait le dernier, courbé sous le poids de l'arbre invisible, voyait en esprit le plus raisonnable de ses disciples, dans ce moment même, traitant avec le vainqueur, sur la base de trente deniers : " Pour la forme, devait-il leur dire, pour ne pas vous désobliger... "

La dernière nuit avant celle de l'agonie, le jeudi, au chant du coq, il avertit Pierre et Jean d'aller à la ville préparer le repas pascal. La Pâque de cette année-là tombait le jour du sabbat. Pourquoi le Christ voulut-il la manger non la veille, comme tous les Juifs, mais l'avant-veille ? Il savait simplement que le lendemain ce serait lui, l'agneau immolé.

Sans doute un ami était-il averti, qui attendait les deux disciples à la porte de la ville. Il avait été entendu qu'il porterait une cruche d'eau pour que Pierre et Jean le reconnussent. Ce frère avait disposé au premier étage de sa maison les tapis et les coussins autour de la table basse, et fait immoler au Temple l'agneau rituel.

Jésus marchait absorbé dans son amour : « Avant la fête de Pâque, écrit saint Jean, Jésus sachant que son heure était venue de passer de ce monde à son Père, après avoir aimé les siens qui étaient dans le monde les aima jusqu'à la fin. » A peine arrivés, ils se disputèrent les places autour de lui, inconscients de ce jour et de cette heure. Jean se coucha à sa droite. L'homme de Quérioth devait être le plus proche de l'autre côté, puisque Jésus put lui donner de sa main une bouchée trempée dans le plat.

— J'ai désiré d'un ardent désir de manger cette Pâque avec vous avant de souffrir.

Cette épaule sur laquelle allait s'abattre un arbre, une potence, reçut en ce moment, le poids vivant d'une tête. Selon le rite, Jésus bénit la première coupe de vin. Mais les disputes avaient repris. Comme chacun prétendait être le plus grand, il leur rappela que parmi eux le plus grand devait être le plus petit :

— Et moi, je suis au milieu de vous comme celui qui sert.

Et cherchant aussitôt le total abaissement, il leur lava les pieds, lui, l'auteur de la vie. Il lava les pieds de Judas qui ne s'en défendit pas. Seul Pierre se débattait, protestait. Il fallut que le Christ le menaçât : " Si je ne te lave pas, tu n'auras pas part avec moi ! " Et Pierre : " Seigneur, non seulement les pieds, mais encore les mains et la tête... "

L'odeur d'une âme.

Jésus aurait souri dans un autre moment. Cette âme pure et simple de Céphas resplendit, mais en même temps, tout près de lui, s'élève cette odeur de corruption et de mort spirituelle que le Seigneur ne peut plus supporter. Il ne se contient plus et murmure :

— Vous êtes purs, mais non pas tous. (Il se reprend aussitôt) : Vous m'appelez Maître et Seigneur et avec raison, car je le suis. Si donc je vous ai lavé les pieds, vous devez aussi vous laver les pieds les uns aux autres.

L'odeur de cette âme le tourmente. Il ne peut plus supporter cette odeur. Les onze autres n'ont rien deviné, rien compris. Peut-être n'aiment-ils guère leur camarade, trop près de ses sous, comme on dit. Mais enfin il a raison de défendre la bourse commune; un peu sournois, mais chacun a sa nature. Jésus n'a plus la force de dissimuler :

— En vérité, je vous le dis : l'un d'entre vous me trahira.

Cette parole éclate dans la salle assombrie où ces treize Juifs sont couchés, autour d'un plat qui fume.

Un silence, et chacun de ces pauvres gens s'interroge lui-même, examine sa conscience et tous harcèlent le Maître : " Est-ce moi ? Mais non, ce n'est pas moi ! " A la gauche du Christ, tout près de son oreille, la voix de Judas tremble : " Maître, serait-ce moi ? "

Aucune bravade : sans doute il ne savait pas encore; il hésitait. Tout au fond de son être une lutte le déchire, — lutte désespérée, au sens le plus fort, et que tant de chrétiens connaissent : lorsque l'âme, blessée à mort, se débat, sachant qu'à la fin elle sera vaincue. Ce Jésus, Judas l'a aimé et l'aime encore peut-être malgré ses déconvenues, sa rancune, son désir de n'être pas solidaire du plus faible. Les trente pièces d'argent valent surtout comme signe de son alliance avec le gouvernement. De toutes manières, le pauvre Jésus était perdu. Judas se sent défaillir; son angoisse n'est pas jouée quand il demande : " Maître, serait-ce moi ? " Lui seul dut entendre la réponse donnée à voix très basse et qui le fixait à jamais : " Tu l'as dit. "

Et de nouveau le Seigneur livre son secret, d'un accent déchirant, parce qu'il venait de perdre un de ses petits, parce que ce Judas était un de ceux qu'il avait choisis, un peu moins aimé que les autres, peut-être; mais durant ces trois années, il avait dû y avoir entre eux, dans telle ou telle circonstance, de tendres paroles échangées, un pardon donné et reçu.

— Le Fils de l'homme s'en va selon ce qui est écrit. Mais malheur à l'homme par qui est trahi le Fils de l'homme. Il eût mieux valu pour lui n'être jamais né.

Dans le lourd silence qui suivit, Pierre fit signe à Jean couché sur l'épaule de Jésus, pour lui demander :

“ de qui parle-t-il ? ” Jean n’eut qu’à lever les yeux et qu’à remuer à peine les lèvres pour être compris : “ Seigneur, qui est-ce ? ”

Peut-être Jésus se fût-il retenu de le confier à aucun autre. Mais arrivé sur les confins de sa vie, dans cette halte dernière, que peut-il avoir encore de caché pour celui qu’il entend respirer une dernière fois (que cette tête pèse peu et que la croix sera lourde !) Il lui souffle donc :

— C’est celui à qui je présenterai le morceau de pain que je vais tremper.

Et ayant trempé le pain dans le plat, il tendit la bouchée à Judas, qui, assis de l’autre côté, avait dû entendre; du moins avait-il vu la tête du Christ se pencher sur celle de son préféré. A cette seconde précise : “ Satan entra en lui. ” Fou de jalousie, ce Judas; trop fin pour ne pas avoir compris qu’on le tenait à l’écart, que si Jean était le plus aimé, lui avait toujours été le moins aimé... La haine qui se déchaîne dans ce malheureux, tout à coup, haine angélique, le Fils de l’homme n’était plus en état de la supporter, lui qui avait à souffrir encore toute la Passion. Cette présence réelle, substantielle, de Satan dans une âme créée pour l’amour, excédait ce qui lui restait de forces. Il le supplia donc :

— Ce que tu as dessein de faire, fais-le vite.

Les autres crurent qu’il l’envoyait distribuer des aumônes ou acheter ce qu’il fallait pour la fête. Judas, fou de haine, se leva. Puisque le Maître l’envoyait à son destin, pourquoi y aurait-il résisté, lui qui peut-être n’avait jamais reposé sa tête sur aucune épaule ? Le cœur du Christ n’a jamais battu contre son oreille.

Il avait été aimé juste assez pour être inexcusable de trahir. Sa rancune l'étouffait. Il ouvrit la porte et entra dans la nuit.

L'eucharistie.

Ceux même des Apôtres qui ne savaient rien sentirent l'atmosphère s'alléger. Peut-être Judas avait-il laissé la porte entrouverte. Le Maître avait baissé les yeux et tous regardaient ce visage familier et qu'ils ne connaissaient pas, qui n'était jamais le même, sans cesse pétri et repétri par des sentiments inconnus, inhumains. Il tenait un morceau de pain entre ses doigts. Il le rompit, de ses mains saintes et vénérables, et leur en distribua les morceaux en disant :

— Prenez, ceci est mon corps.

« Il prit ensuite une coupe et, après avoir rendu grâce, il la leur donna, et ils en burent tous. Et il leur dit :

— Ceci est mon sang, le sang de la nouvelle alliance qui sera répandu pour un grand nombre. Je vous le dis, en vérité, je ne boirai plus jamais du fruit de la vigne, jusqu'au jour où je le boirai de nouveau dans le Royaume de Dieu.

Que comprirent-ils, ceux qui venaient d'avoir part à ce corps et à ce sang ? Le Fils de l'homme était là, couché au centre de la table, et en même temps chacun d'eux le sentait frémir au dedans de soi, palpiter, brûler comme une flamme qui n'eût été que rafraîchissement et délices. Pour la première fois en ce monde, se consommait la merveille : posséder ce qu'on aime, s'incorporer à lui, s'en nourrir, ne faire plus qu'un avec sa substance, être transformé en son amour vivant.

C'est aux paroles qu'aussitôt après Jésus prononça, que nous pouvons mesurer l'amour dont les disciples débordaient; car il les appelle : " mes petits enfants ", ces hommes rudes et dans la force de l'âge; et comme une gorgée de sang, la tendresse jaillit tout à coup de ce cœur que la lance va ouvrir :

— Mes petits enfants, je ne suis plus avec vous que pour un peu de temps. Vous me chercherez, et comme j'ai dit aux Juifs qu'ils ne pouvaient venir où je vais, je vous le dis aussi maintenant. Je vous donne un commandement nouveau, c'est de vous aimer les uns les autres, comme je vous ai aimés. A ceci tous connaîtront que vous êtes mes disciples, si vous avez de l'amour les uns pour les autres.

Et maintenant il s'adresse à Simon. Le Prince de ce monde, cette nuit, sera déchaîné; et eux-mêmes, les pauvres enfants, vont être criblés... Ce sera à lui, Pierre, une fois l'épreuve finie, de confirmer ses frères... Impétueusement, l'Apôtre l'interrompt et il est prêt à aller avec Jésus, et en prison, et à la mort. Jésus discerne en lui, à cette minute, la goutte la plus amère du calice qu'il va boire. Car cet homme, le plus fort de tous, et qui crie, transporté d'amour et de confiance, à l'aube, l'aura renié trois fois. Jésus l'en avertit doucement. Mais Pierre, hors de lui, insiste.

— Quand il me faudrait mourir avec vous, je ne vous renierai pas !

Et tous protestaient avec Céphas. Ils avaient quitté la table et entouraient ce Jésus dont le regard, glissant par-dessus leurs têtes, fixait cet arbre nu dressé au milieu de la nuit du monde, ce poteau qu'il était au moment de toucher enfin. Les Onze comprennent que c'est fini de rire et d'étonner les Juifs par des miracles. Sans effort, ils font les braves : “ Il y a ici deux glaives... ” Jésus hausse les épaules : “ Certes, c'est bien assez ! ” Ce n'est pas d'épées dont ils ont besoin, mais de foi : “ Que votre cœur ne se trouble point... ” Ils savent où il va, ils en connaissent le chemin... La voix naïve de Thomas s'élève :

— Mais non, Seigneur, nous ne savons où vous allez; comment donc en saurions-nous le chemin ?

Jusqu'à la fin, ils prennent chaque parole dans son sens le plus matériel. Jésus lui dit :

— Je suis le chemin, la vérité et la vie; nul ne vient au Père que par moi.

Et comme Philippe lui coupe la parole : “ Montrez-nous le Père, et cela nous suffit. ” Jésus répond :

— Il y a longtemps que je suis avec vous, et vous ne m'avez pas connu ? Philippe, celui qui me voit, a vu aussi le Père.

Il ne s'irrite plus de cette inintelligence qu'il n'a pu vaincre, mais que l'Esprit surmontera. Le petit groupe s'est resserré autour de lui. Comme tous les hommes qui craignent de mourir, ils ne sont plus que des enfants effrayés par la nuit. Et le Fils de l'homme, dont l'amour s'épandait autrefois en paroles violentes et amères, déjà brisé, déjà rompu avant le premier soufflet, avant le premier coup de verge, les prend sous son aile, les réchauffe de paroles où l'homme et le Dieu se trahissent tour à tour : quelle tendresse et quelle puissance ! Et il les introduit dans le mystère de l'Union.

— Je ne vous laisserai point orphelins; je viendrai à vous. Encore un peu de temps, et le monde ne me verra plus; mais vous vous me verrez, parce que je vis et que vous vivrez. En ce jour-là, vous connaîtrez que je suis en mon Père, et vous en moi, et moi en vous. Celui qui a mes commandements et qui les garde, c'est celui-là qui m'aime; et celui qui m'aime sera aimé de mon Père; et moi je l'aimerai, et je me ferai connaître à lui. Si quelqu'un m'aime, il gardera ma parole, et mon Père l'aimera, et nous viendrons à lui, et nous ferons chez lui notre demeure.

Un grand calme règne maintenant parmi eux, ils n'ont plus peur. Ils sont les amis de Jésus, unis à lui et en lui. Ils goûtent déjà avec surabondance l'héritage qu'il leur a promis : cette paix ardente.

— Je vous laisse la paix, je vous donne ma paix; je ne la donne pas comme la donne le monde. Que votre cœur ne se trouble point.

L'heure approche. Il ne peut plus demeurer en place : " Levez-vous, partons d'ici. " Il les entraîne hors de la pièce, s'arrête un instant dans le vestibule. Jamais il ne leur a parlé comme cette nuit. Maintenant ils savent que leur ami est Dieu et que Dieu est amour. Et celui qui a reposé sa tête sur l'épaule du Fils de l'homme retient pour toujours chaque parole.

— Je suis la vigne, vous êtes les pampres. Comme mon Père m'a aimé, moi aussi je vous ai aimés. Demeurez en mon amour... afin que ma joie soit en vous...

Qu'avaient-ils besoin de comprendre autre chose ? Toute la Loi Nouvelle tenait dans un seul mot le plus profané dans toutes les langues du monde : amour.

— Ceci est mon commandement que vous vous aimiez les uns les autres, comme je vous ai aimés. Il n'y a pas de plus grand amour que de donner sa vie pour ses amis.

Ils ne l'ont pas choisi, ce Maître adoré; c'est lui qui les a choisis du milieu du monde. Le monde qui est rejeté les hait, comme il hait le Christ, ils seront persécutés pour leur amour, mais l'Esprit sera sur eux.

Les Onze, de nouveau, se troublent parce qu'il leur a dit : " Encore un peu de temps vous ne me verrez plus, et encore un peu de temps et vous me reverrez... " Jésus plein de pitié voudrait d'avance les persuader de leur joie lorsqu'ils auront bu et mangé avec lui ressuscité :

— En vérité je vous le dis, vous pleurerez et vous vous lamenterez, tandis que le monde se réjouira; mais votre affliction se changera en joie. La femme, lorsqu'elle enfante, est dans la souffrance parce que son heure est venue; mais lorsqu'elle a donné le jour à l'enfant, elle ne se souvient plus de ses douleurs, dans la joie qu'elle a de ce qu'un homme est né dans le monde...

Ils sont comme brûlés par ces paroles. C'est avec une sorte d'enivrement qu'ils l'interrompent : " Voilà que vous parlez ouvertement et sans vous servir d'aucune figure. Maintenant nous voyons que vous savez toute chose... Nous croyons que vous êtes sorti de Dieu. "

Le Fils de l'homme qui, durant trois années, a tant souffert de leur manque de foi et de leur lenteur à comprendre, ne se réjouit guère de cet éclat. Il soupire :

“ Vous croyez à présent... ” Et tout à coup, d’une voix dure :

— Voici que l’heure vient, et déjà elle est venue, où chacun de vous s’enfuira dans sa maison et vous me laisserez seul.

Mais tout de suite, devant ces pauvres visages désolés, il se reprend. Non, ce n’est pas à ses bien-aimés qu’il en veut. Toute la misère qui les accablera, il la connaît déjà, il la souffre. Les Onze seront les plus faibles, de même que cette nuit, leur Maître terrassé, déjà touche des épaules. Et pourtant, comme il se redresse tout à coup, ce Nazaréen de la basse classe que guette la force armée, ce Juif hors la loi qui va être couvert de crachats dans un corps de garde ! De quel ton souverain, il jette le défi qui, au delà de ses juges, de ses bourreaux, au delà même de César Tibère, atteint le triomphateur angélique de cette nuit :

— Prenez confiance, j’ai vaincu le monde !

La prière sacerdotale.

Il a vaincu le monde, mais il a mis à part du monde le petit troupeau de ceux qui ne périront pas. Et il s’en glorifie devant son Père, à l’entrée de l’arène, au seuil de la nuit (le premier d’innombrables frères qui seront, en haine de son Nom, livrés à la Bête). Avant de faire le pas, il se recueille un instant et prie.

Cette petite phrase plusieurs fois répétée dans les Évangiles recèle un mystère infini : “ Jésus se retira à l’écart pour prier... ” Il prie le Père, lui qui est consubstantiel au Père. Est-ce inintelligible ? Nous qui sommes créés à l'image de Dieu, toute méditation nous ramène au centre de notre être, comme si c'était nous-mêmes qui parlions à nous-mêmes. Le plus pauvre Chrétien après la communion, ou simplement en état de grâce et que divinise la présence des trois Personnes, ne saurait non plus rentrer en lui-même sans être baigné du Dieu qui le possède.

Une lointaine analogie nous aide ainsi à méditer ce mystère : l'oraison de l'Homme-Dieu qui ne fait qu'un avec Celui qu'Il prie.

Il se parle à lui-même et en même temps à un autre. Mais cette fois, au bord des ténèbres, une créature assiste à ce colloque du Père et du Fils : un jeune homme, Jean, le fils de Zébédée. Peut-être n'a-t-il pas recueilli des paroles distinctes. Peut-être lui fut-il donné d'avoir part à cette méditation muette, et la prière du maître adoré, sans que le silence fût rompu, se gravait verset après verset, dans le cœur du disciple attentif.

Lui seul s'en est souvenu, sans doute parce que lui seul l'a entendue, cette prière. Non qu'il fût meilleur que les autres : le plus violent, le plus passionné. Ce « fils du tonnerre », hier encore, exigeait un trône pour lui et pour son frère, cherchait son avantage parce qu'il se savait préféré; avec cela, des audaces d'enfant auquel on passe tout : un jour il interrompt son maître, pour se vanter d'avoir défendu à un homme de chasser les démons au nom de Jésus, comme si Jésus lui appartenait à lui seul ! Un jeune homme, et cela signifie : avide, violent, cruel; — jusqu'à vouloir que le feu du ciel extermine cette ville de Samarie qui n'a pas voulu les accueillir.

Le préféré pourtant : le jeune homme que Jésus aima, mais qui n'était pas riche comme l'autre et qui n'avait pas de grands biens (quoi qu'il fût de meilleure famille que la plupart des disciples : son père Zébédée avait à son service des mercenaires, et Jean semble avoir été un familier de la maison du Grand Prêtre). L'esprit le plus délié, le plus ouvert; et ce n'est pas assez dire : le disciple que Jésus aimait était rayonnant de génie. Comme presque tous les Saints depuis Paul jusqu'aux Pères des premiers siècles, jusqu'à Augustin, à Bonaventure, à Thomas, à François, à Jean de la Croix; mais lui plus qu'eux tous : comblé des dons de l'Esprit.

Lui aurait-il suffi de cette intelligence embrasée par l'amour pour être introduit dans le mystère de l'oraison dernière du Fils de l'homme ? Non peut-être, mais sa tête vient de s'appuyer sur la poitrine du Seigneur; et il est devenu un autre, durant cette minute infinie : le fils du tonnerre sera désormais le fils de l'Amour, celui qui durant la Cène avait reposé le front sur le cœur de son Dieu : il a surpris un secret, qu'il n'oubliera plus : ce que ses yeux ont vu, ce que ses mains ont touché, ce que ses oreilles ont entendu, concernant le Verbe de la Vie.

Les paroles de triomphe qu'il nous a transmises étonnent, si peu d'instants avant la prostration et le déchirement de Gethsémani. La prière du Christ dont Jean se souvient resplendit de certitude tranquille comme si le Seigneur profitait de cette dernière minute avant que tout pouvoir soit donné aux ténèbres : “ Père, l'heure est venue : glorifie ton Fils afin que ton Fils te glorifie, puisque tu lui as donné autorité sur toute chair... La Vie éternelle c'est qu'ils te connaissent toi le seul vrai Dieu et celui que tu as envoyé, Jésus-Christ... C'est pour eux que je prie; je ne prie pas pour le monde, mais pour ceux que tu m'as donnés, car ils sont à toi... "

Il regarde un instant cet océan de douleur au bord duquel il se tient; il le néglige pour contempler son ouvrage éternel : ce nœud indéfectible de la créature sanctifiée et de son Dieu en la personne du Fils : " afin qu'ils soient comme nous sommes un, moi en eux et toi en moi, afin qu'ils soient consommés dans l'unité... "

Mais quelles sont les frontières de ce monde pour qui il ne prie pas ? que sera le destin éternel de ce monde rejeté ?

26

Gethsémani.

Voici le moment d'entrer dans la nuit. Quand il aura franchi ce seuil, sa Passion commencera. Il récite l' " hallel " qui est l'action de grâce pascale et pousse la porte. Il descend, contourne le Temple que la lune de Pâques éclaire, atteint un enclos au bas du mont des Oliviers. La petite troupe, depuis que Jésus est traqué, dort souvent dans ce jardin, appelé Géthsémani parce qu'il s'y trouve un pressoir pour les olives. C'était leur refuge habituel lorsqu'ils ne poussaient pas jusqu'à Béthanie.

Les Onze, cette nuit, ne font rien qui leur paraisse extraordinaire : à leur habitude, ils dormiront par terre, dans leurs manteaux. Le Maître prend avec lui Pierre, Jacques et Jean et s'éloigne pour prier : cela aussi est dans l'ordre, et ils ne s'étonnent pas.

A un jet de pierre de ses trois plus chers amis, Jésus est prostré la face contre terre. Son âme est triste jusqu'à la mort. Il a peur : il faut qu'il ait connu la peur. L'odeur du sang le fait frémir; il éprouve cette terreur de la chair, ce hérissement devant la torture physique : " Père, si vous le voulez, éloignez de moi ce calice ! "

Une part de son être se dérobe à cette vocation atroce : “ Que votre volonté soit faite et non la mienne... ” C’est donc que la sienne, à cette minute, est d’échapper à cette horreur. Il retire de son front une main mouillée : d’où vient ce sang ? La supplication s’arrête sur ses lèvres ; il écoute. Tout homme, à certaines heures de son destin, dans le silence de la nuit, a connu l’indifférence de la matière aveugle et sourde. La matière écrase le Christ. Il éprouve dans sa chair l’horreur de cette absence infinie. Le Créateur s’est retiré et la création n’est plus qu’un fond de mer stérile ; les astres morts jonchent l’étendue. Il y a, dans les ténèbres, des cris de bêtes dévorées.

Ce Juif confondu avec la terre, écrasé sur le sol, se relève. Le Fils de Dieu a atteint un tel degré d’abaissement qu’il a besoin d’une consolation humaine : son tour est venu, croit-il, de reposer sa tête pleine de sang sur une poitrine. Il se lève donc et s’approche des trois endormis (“ endormis de tristesse ” dit saint Luc).

Mais ils sont pris par le sommeil, terrassés. Le sommeil l’emporte sur tout amour, cela aussi nous le savons. Jésus prisonnier de son humanité, au moment où il a besoin des siens pour ne pas défaillir, se heurte en eux à cette loi de la demi-mort, de l’engourdissement et du songe. L’apôtre bien-aimé lui-même dort de toutes les forces de sa jeunesse. On dirait que sa propre puissance l’anéantit.

— Vous n’avez pu veiller une heure avec moi ?

Ils se soulèvent, soupirent un peu, retombent. Le Maître se traîne jusqu’à la place qu’il a marquée déjà de son sang, s’agenouille, tend des mains d’aveugle, jusqu'à ce qu'il soit de nouveau rejeté vers ses amis, — car eux, du moins, tout insensibles qu'ils fussent, ils étaient là, il pouvait les secouer, toucher leurs cheveux. Le Fils de l'homme en est réduit à ce mouvement de pendule, de l'assoupissement de l'homme à l'absence de Dieu, — du Père absent à l'ami endormi.

A la troisième fois qu'il se traîne jusqu'à eux, les voici qui se dressent enfin, les yeux encore fermés et ne sachant que répondre. Si la lune éclairait encore, peut-être le Christ vit-il ces pauvres figures enlaidies et gonflées, rongées de barbe.

— Dormez maintenant et reposez-vous.

Il n'a plus besoin de personne que de lui-même. Il demeure immobile, non plus la face contre terre, ni penchée vers les assoupis. Il écoute les soupirs, les ronflements de ces corps, et au delà un bruit confus de pas, de voix... Et enfin :

— Levez-vous ! celui qui doit me trahir est près d'ici.

En hâte, ils rejoignent les autres disciples, les réveillent, tous se serrent autour de lui qui se confond avec eux. Le tribun qui sort de la nuit avec les gens du Grand Prêtre et quelques soldats de la cohorte, porteurs de flambeaux, n'aperçoit à la lueur des flammes qu'un petit groupe sombre de Juifs, et il n'en est aucun qui se détache ni qui le domine. L'Auteur de la vie est un de ces Nazaréens barbus, indiscernable puisqu'il faut que Judas le désigne. L'homme de Quérioth a eu cette idée du baiser : « Celui que je baiserai, c'est lui. »

Idée surnaturelle que le traître n'eût pas trouvée seul. Cette trahison par le baiser déroute Celui qui pourtant s'attendait à tout. Cette bouche sur sa joue ! Il dit : " Mon ami, pourquoi es-tu ici ? " Et comme les soldats l'entouraient : " Tu trahis le Fils de l'homme par un baiser ! " Jusqu'à la fin, la créature l'étonne. Il croyait avoir touché l'extrême fond de la bassesse humaine; mais ce baiser...

Il y eut d'abord quelque tumulte. Les Apôtres ne furent pas lâches tout de suite, car ils savaient leur Maître tout puissant; et comme Céphas, de son épée, coupait l'oreille de Malchus le serviteur du Grand Prêtre, Jésus lui ordonna de remettre l'épée au fourreau; il les écarte et, comme une mère, se met en avant, se gonfle pour couvrir sa couvée : " C'est moi ! laissez aller ceux-ci; vous auriez pu m'arrêter tous les jours dans le Temple. Mais c'est votre heure... "

A la lueur des flambeaux, la meute se rua sur cette proie consentante. Alors tous s'enfuirent, sauf un jeune homme inconnu qui se trouvait là, n'ayant même pas pris le temps de se vêtir. D'où venait cette fidélité dernière ? Ils se saisirent de lui, mais, par une ruse de garçon agile, il leur abandonna le linceul qui l'enveloppait et il leur échappa.

Jésus fut conduit chez Anne (beau-père de Caïphe, le Grand Prêtre) qui le fit lier plus étroitement et le renvoya à son gendre. Caïphe veillait avec les Anciens du peuple et quelques membres du Sanhédrin. Peut-être n'avait-il jamais vu Jésus. Le faiseur de miracles, l'ennemi des Pontifes, ce n'était donc que cela : ce pauvre hère ? Tout de même il l'interrogea d'abord, de ce ton que n'avaient pas perdu, après tant de siècles, les juges de Jeanne d'Arc : avec une prudente bénignité. L'accusé répond qu'il a parlé ouvertement au monde, dans la Synagogue et dans le Temple, qu'il n'a rien dit en secret :

— Pourquoi m'interroges-tu ? Demande à ceux qui m'ont entendu, ce que je leur ai dit; ils savent ce que j'ai enseigné.

Avait-il un peu haussé la voix ? Parlait-il encore en maître à son insu ? Le premier soufflet s'abattit sur sa face : une main épaisse de soldat.

— C'est ainsi que tu réponds au Grand Prêtre ?

— Si j'ai mal parlé, fais voir ce que j'ai dit de mal; mais si j'ai bien parlé, pourquoi me frappes-tu ?

Il fallait une base à l'accusation. Deux hommes déposèrent que l'accusé avait prétendu détruire le temple de Dieu pour le rebâtir en trois jours. Le Grand Prêtre se leva : " Entends-tu ? N'as-tu rien à répondre ? "

Trahison de Céphas.

La nuit à son déclin était froide. Un grand feu brûlait dans la cour, allumé par les gens de service. Tout ce qui rôdait autour du palais, attendant l'aube, se rapprochait de la flamme. De l'ombre surgissait un cercle de figures et de mains tendues. Une servante fut frappée par ce visage barbu qu'elle croyait reconnaître : " Mais cet homme aussi était avec lui ! " Pierre sursauta : " Femme, je ne le connais point. "

Il était entré là, grâce à un disciple que la portière du Grand Prêtre connaissait. Méfiante, la femme l'avait dévisagé, en disant : " N'appartient-il pas à la même bande ? " et déjà Pierre avait nié. Maintenant il s'éloigne du feu pour n'être pas reconnu. Un premier coq enroué annonçait l'aube; il ne l'entendit pas, tremblant de froid et de peur. On s'amassait de nouveau autour de lui : " Mais si ! Tu es Galiléen ! Tu as l'accent ! "

Un témoignage plus dangereux fut apporté par un parent de Malchus : " Je l'ai vu tout à l'heure dans le jardin... " Pierre, terrifié, protestait, jurait avec serment qu'il ne connaissait pas cet homme; et telles étaient ses imprécations que ses accusateurs hésitèrent et revinrent se chauffer, le laissant seul. Le ciel pâlissait. Un coq, de nouveau, chanta. Le jour se levait aussi dans ce pauvre cœur. Tout sortit de la nuit, tout s'éclaira en lui, en même temps que les toits du palais et des maisons, et la cime des oliviers, et les plus hautes palmes. Alors une porte s'ouvrit. Poussé en avant par des valets, un homme apparut, les poings liés, un gibier de potence et de bagne. Il regarda Pierre. Il fit tenir dans ce regard un trésor infini de tendresse et de pardon. L'apôtre contemplait avec stupeur cette face déjà tuméfiée par les coups de poing. Il cacha la sienne dans ses deux mains, et étant sorti, répandit plus de larmes qu'il n'en avait versé depuis qu'il était au monde.

Jésus en était déjà aux crachats. Cela avait commencé lorsque Caïphe l'ayant sommé de répondre : " Je t'adjure par le Dieu vivant de nous dire si tu es le Christ, le fils du Béni ? " Alors le silencieux s'était redressé tout à coup et avait prononcé distinctement :

— Je le suis. Et vous verrez le Fils de l'homme siéger à la droite du Très-Haut et venir sur les nuées.

Il y eut un cri d'horreur. Un premier crachat coula sur sa face, puis beaucoup d'autres. Des valets le souffletaient. Ils lui voilaient la figure et le frappaient du poing : " Christ, devine qui t'a frappé ? " et ils riaient.

S'il n'avait pas été de petite mine, s'il y avait toujours eu dans son port cette majesté que nous lui prêtons, la racaille se fût tenue à distance. Non, le Nazaréen n'avait pas de quoi en imposer à cette lie remontée des cuisines... Du moins à ce moment-là : même un homme ordinaire a tant de visages ! Le sourd rayonnement de la Transfiguration à certaines heures avait dû irradier de cette Face auguste que nous a révélée la photographie du Saint-Suaire de Turin. Si nous avons le visage de notre âme, que pouvait-être celui du Fils de Dieu ! Mais sans doute a-t-il voulu l'obscurcir. Une volonté toute-puissante d'effacement a détruit sur la Sainte Face tout ce qui aurait rendu les bourreaux hésitants. Il est vrai que la pureté même d'une figure attire la haine, déchaîne l'insulte. Les brutes tenaient un Dieu à leur merci et s'en donnaient à cœur joie — comme ces hommes d'équipage qui torturent le mousse qu'on leur a livré.

La Passion aurait pu s'arrêter aux crachats. C'est déjà plus d'abjection que notre faible foi n'en peut supporter. Et pourtant la puissance de Jésus sur les âmes prend racine dans cette conformité avec la souffrance des hommes; et non pas seulement avec les douleurs normales de la condition humaine. Il ne faut pas qu'il y ait dans le monde un prisonnier, un martyr, un condamné innocent ou coupable qui ne retrouve dans Jésus outragé et crucifié sa propre image et sa propre ressemblance. Ce jeune assassin, avenue Mozart, traîné sur le trottoir, au milieu d'une foule hurlante, pour la reconstitution de son crime, une femme lui cracha au visage, et aussitôt il prit l'apparence du Christ. Depuis qu'il a souffert et qu'il est mort, les hommes n'ont pas été moins cruels, il n'y a pas eu moins de sang versé, mais les victimes ont été recréées une seconde fois à l'image et à la ressemblance de Dieu; — même sans le savoir, même sans le vouloir.

Le désespoir de Judas.

Tandis qu'on l'arrachait aux valets pour le traîner vers le prétoire (sans doute à la tour d'Antonia qui domine le Temple), un homme atterré contemplait son œuvre. Il n'y a pas de monstres : Judas n'avait pas cru que cela irait très loin : un emprisonnement, quelques coups de fouet peut-être, et le charpentier eût été renvoyé à son établi. Il s'en est fallu de très peu que les larmes de Judas ne fussent confondues, dans le souvenir des hommes, avec celles de Pierre. Il aurait pu devenir un saint, le patron de nous tous qui ne cessons de trahir. Le repentir l'étouffait : l'Évangile précise « qu'il se repentit ». Il rapporta les trente pièces d'argent au Prince des Prêtres et s'accusa : « J'ai péché en livrant le sang innocent... » Judas est au bord de la contrition parfaite. Dieu aurait eu tout de même le traître nécessaire à la Rédemption, et un saint de surcroît.

Que lui importait ces trente deniers ? Peut-être n'eût-il pas livré Jésus s'il ne l'avait aimé, s'il ne s'était senti moins aimé que les autres. Les pauvres calculs de l'avarice n'eussent pas suffi à le déterminer : au moment même où la tête de Jean reposa sur le cœur du Seigneur, Satan put établir dans celui de Judas son règne éternel.

« Alors ayant jeté l'argent dans le Temple, il alla

se pendre. » Le Démon n'a rien gagné contre le dernier des criminels qui espère encore. Tant qu'il subsiste dans l'âme la plus chargée une lueur d'espérance, elle n'est séparée de l'amour infini que par un soupir. Et c'est le mystère des mystères que ce soupir, le Fils de perdition ne l'ait pas exhalé.

Les Prêtres ayant refusé de toucher à cet argent qui était le prix du sang, l'employèrent à l'achat d'un champ pour la sépulture des étrangers. Ils assassinaient le Fils de Dieu et ne pensaient qu'à ne pas se souiller ! Ainsi, à la veille de Pâques, n'osèrent-ils pénétrer dans le prétoire, et il fallut que le Procurateur se dérangeât lui-même pour parlementer avec eux depuis le péristyle. Ici éclate la stupidité de la Lettre; la lettre qui tue — et au nom de laquelle tant d'agneaux ont été immolés, à commencer par l'Agneau de Dieu.

Pilate.

Pilate haïssait et méprisait le Sanhédrin, et aussi Hérode Antipas mais il les craignait. Il avait été vaincu par eux, à Rome, dans une dispute au sujet de boucliers d'or, que le Procurateur avait accrochés dans le palais royal de Jérusalem et qu'il dut rapporter à Césarée, dans sa résidence habituelle. Depuis qu'il avait perdu ce procès, le Procurateur se méfiait de ces furieux : « Prenez-le vous-même, cet individu, leur criait-il, et jugez-le selon votre loi. »

Or ces mêmes Juifs qui ont peur de se souiller en foulant le sol du Prétoire où ils vont faire condamner à mort un innocent, professent qu'il ne leur est permis de tuer personne. Ils livreront Jésus pour être crucifié, mais ne prononceront pas la sentence. Le pharisaïsme si furieusement dénoncé par le Christ pendant trois années, se découvre, à cette minute, dans sa hideur.

Pilate, exaspéré sans doute, mais prudent, rentra donc dans le Prétoire. Il ne sait quelle question poser à cet homme lamentable, arraché, pour une minute, à la meute immonde. Ce serait beaucoup trop de dire que le Procurateur cède à la pitié. On savait déjà qu'il fallait flatter la manie des fous :

— Es-tu le roi des Juifs ?

Mais l'Illuminé lui répond : " Dis-tu cela de toi-même, ou d'autres te l'ont-ils dit de moi ? "

Mais non, ce n'est pas un fou ! Pilate maugrée : " Est-ce que je suis Juif ? " humilié d'être mêlé à cette histoire de fanatique. Et cependant l'homme parle :

— Mon royaume n'est pas de ce monde; si mon royaume était de ce monde, mes serviteurs combattraient pour que je ne fusse pas livré aux Juifs; mais maintenant mon royaume n'est point d'ici-bas... Tu le dis, je suis Roi. Je suis né et je suis venu dans le monde pour rendre témoignage à la vérité.

Pilate lui dit : " Qu'est-ce que la vérité ? " S'il avait eu le cœur d'un mendiant, d'une femme perdue, d'un péager, cette réponse peut-être lui eût été donnée : " Je suis la Vérité, moi qui te parle. " Mais c'était un homme sérieux, un grand fonctionnaire : il aurait haussé les épaules. Une vertu secrète agit sur lui, cependant : cet homme a " quelque chose "... il ne saurait dire quoi. Il ne le prend plus pour un fou. C'est l'envie qui a déchaîné le Sanhédrin. On ne saurait nier la puissance de ce regard, de cette voix... Il méprise les Juifs, ce Romain, mais il est superstitieux.

On ne sait jamais. L'Orient grouille de divinités dangereuses. Et justement, sa femme, qui a eu un songe à propos de ce juste, lui fait dire de ne pas se mêler de cette affaire. Pourquoi ne pas le délivrer ? Le malheur veut que les Sanhédrites se soient placés sur le terrain politique : Jésus se déclare roi et Messie, et c'est justement l'espèce d'agitateurs qu'à Rome on déteste le plus. Les adversaires de Pilate le savent et tournent contre lui une arme redoutable. Une mince affaire mais qui peut le perdre. C'est un politique, comme tous les politiques, qui ménage les deux partis, cherche un biais. Soudain, il se frappe le front : il a trouvé ! Un Nazaréen ? mais ce Jésus dépend donc d'Hérode ! Pilate brouillé avec le Tétrarque, depuis que sans lui en demander la permission, il avait fait massacrer des Galiléens révoltés, lui donnera cette marque de déférence, et fera d'une pierre deux coups : en se débarrassant de Jésus, il se réconcilie avec Hérode qui justement se trouve à Jérusalem pour les fêtes.

Jésus devant Hérode.

L'assassin de Jean-Baptiste cherchait à voir ce fameux Jésus depuis longtemps, et l'accueillit d'abord, avec quelque apparat, entouré de sa garde et de sa cour. L'aspect de ce malheureux dut le confondre. Tout de même il l'accablait de questions. Mais le Fils de l'homme s'était changé en statue. En dépit des hurlements des scribes, il ne répondrait rien à ce *renard*, comme il avait un jour appelé Hérode. Le Tétrarque et cette cour autour de lui, c'était le Monde pour lequel Jésus n'avait pas prié. Les Prêtres lui répugnaient moins que ces criminels futiles, que ces perruches, que cette lie qui se croit d'élite :

— Non ! c'est ça, Jésus ? Quelle déception ! Rien que pour ça, il mérite la mort.

— Mais on m'avait dit qu'il était beau ! Mais c'est qu'il est affreux ! Il n'a pas l'air du tout d'un Prophète ! On lui donnerait deux sous.

— C'est inouï comme se font les réputations !

— Jean-Baptiste, c'était tout de même quelqu'un. A côté de Jean-Baptiste, celui-là n'existe pas. Il ne lui arrive pas à la cheville. C'est une doublure !

— Non ! mais regardez son air ! Pour qui se prend-il, le pauvre diable ?

— Il croit nous impressionner avec son silence...

De guerre lasse, et ne pouvant lui arracher une parole, Hérode le fit revêtir par dérision d'une robe blanche et le renvoya à Pilate, à son ami Pilate.

Barabbas.

Le haut fonctionnaire dut chercher une autre issue, et crut l'avoir trouvée, lorsque quelqu'un lui rappela que c'était la coutume, pour la fête de Pâques, de rendre la liberté à un prisonnier désigné par la foule. Le Procurateur sortit donc de nouveau et le peuple cessa de crier pour l'entendre.

— Je ne trouve aucun crime en cet homme. Voulez-vous, selon la coutume, que je délivre le Roi des Juifs ?

Si c'était par ironie qu'il l'appelait ainsi, quelle maladresse ! Les Scribes et les Prêtres, hors d'eux, répandaient partout le mot d'ordre : il fallait demander la délivrance du bandit Barabbas. Il n'y eut qu'un cri :

— Barabbas ! Barabbas !

Pilate battit en retraite, cherchant à sauver l'innocent de ces furieux. Comme il ne trouvait rien, son indulgence de Romain lui inspira un stratagème atroce : réduire cet homme à un tel degré d'abjection et de misère qu'il n'y eût plus personne qui osât donner la moindre importance à sa royauté dérisoire. Ce fut pour l'arracher à cette bande de loups, qu'il le livra aux soldats. Il savait comment ces gens-là s'acquittaient d'une telle besogne : au sortir de leurs mains le Roi des Juifs désarmerait jusqu'aux Sanhédrites; il ferait pitié même à des pontifes sans entrailles.

La flagellation.

Les soldats le prirent donc; ils allaient bien s'amuser. Les lanières contenaient des balles de plomb. Tous nos baisers, toutes nos étreintes, cette prostitution des corps créés pour être la demeure de l'Amour, cet avilissement de la chair, ces crimes non seulement contre la Grâce, mais contre la nature, le Fils de l'homme assume tout étroitement. Le sang dont il est couvert l'enveloppe d'un premier manteau d'écarlate, sur lequel les soldats vont en jeter un autre, en étoffe, celui-là, et qui se collera sur la chair à vif. Par terre, il y a des allume-feux, des fagots d'épines. " Attends que je lui fasse une couronne, au roi ! Tiens, fourre-lui le roseau dans les pattes... Salut roi des Juifs ! " Et ils s'agenouillaient en se bousculant; et les poings s'abattaient sur cette face qui n'était plus qu'une plaie.

Ecce homo.

Quand le Romain vit ce qui restait du Juif, il se rassura : les soldats avaient fait bonne mesure; cette créature lamentable donnerait de la honte à ceux qui l'avaient livrée. Il alla les avertir en personne (de cet air qui signifiait : " Vous allez voir ce que vous allez voir ! ")

— Voici que je vous l'amène dehors, afin que vous sachiez que je ne trouve en lui aucun crime.

Il rentra pour le chercher et reparut, poussant devant lui cette espèce de mannequin couvert d'oripeaux rouges, coiffé d'un chapeau d'épines, avec un masque de crachats, de pus et de sang où des mèches de cheveux demeuraient prises.

— Voilà l'homme.

Ils ne tombèrent pas à genoux. Où étaient les lépreux guéris, les possédés délivrés, les aveugles dont il avait ouvert les yeux ? Beaucoup de ceux qui avaient cru en lui, qui espéraient encore contre toute espérance, perdirent ce qui leur restait de foi devant ce déchet humain. Ah ! qu'il soit balayé ! Qu'il disparaisse ! Avoir cru à ça ! Quelle honte !

Un cri immense : " Crucifie-le ! " déconcerta le Procurateur. Il essayait de crier plus fort qu'eux : " Mais il est innocent ! " Alors un prêtre se détacha de la foule. Un grand silence régna parce qu'il parlait au nom de tous :

— Nous avons une loi, et d'après notre loi, il doit mourir, parce qu'il s'est fait fils de Dieu.

Pilate fut troublé. *Fils de Dieu*, qu'est-ce que cela signifie ? Il rentra dans le prétoire, fit approcher Jésus et lui posa cette question étonnante : " D'où es-tu ? "

Il ne s'agissait pas dans l'esprit du Procurateur de l'origine terrestre de Jésus. Aucun doute que le Romain ait pressenti dans cette épave une force immense qui lui échappait. Mais le Christ se taisait. Pilate s'impatiente : l'homme ignore-t-il que son juge a le pouvoir de le crucifier ou de le délivrer ?

— Tu n'aurais sur moi aucun pouvoir s'il ne t'avait pas été donné d'en haut. C'est pourquoi celui qui m'a livré à toi a un péché plus grand.

" Dès ce moment, Pilate cherchait à le délivrer. Mais les Juifs criaient : " Si tu le délivres, tu n'es point ami de César; car quiconque se fait roi, se déclare contre César. " Pilate, ayant entendu ces paroles, fit conduire Jésus hors du prétoire et il s'assit sur son tribunal, au lieu appelé en grec *lithostrotos* et en hébreu *gabbatha* (ce pavage a été découvert qu'ont touché les pieds sacrés). C'était le jour de la préparation de la Pâque, et environ la sixième heure. Pilate dit aux Juifs : " Voici votre Roi. " Mais il se mirent à crier : " Qu'il meure ! Crucifiez-le ! " Pilate leur dit : " Crucifierai-je votre Roi ? " Les Princes des Prêtres répondirent : " Nous n'avons de Roi que César. "

Réponse menaçante. Pilate comprit qu'il était allé trop loin, qu'il n'épargnerait pas ce misérable, sans être dénoncé à Rome. L'homme trouva un biais, pour mettre légalement sa responsabilité à l'abri : ce fut de se laver les mains en public, et de se proclamer innocent du sang de ce juste. C'était aux Juifs d'en répondre. Le pauvre peuple cria : " Que son sang soit sur nous et sur nos enfants. " Il y fut, il y est encore, mais non pour une malédiction éternelle : la place d'Israël est gardée à la droite du Fils de David.

Le chemin de croix.

C'est la curée, le cerf est livré aux chiens. Comment porterait-il sa croix, pouvant à peine se traîner lui-même ? Simon de Cyrène, père de deux disciples Alexandre et Rufus, en est chargé à sa place. Deux bandits marchent avec lui, traînent le même bois, ne se distinguent pas de Dieu. Cette croix il faut la voir telle qu'elle était : si différente de ce trône que nous avons élevé, depuis, et qui dresse l'Agneau de Dieu au-dessus du monde ! La vérité est presque insoutenable, qu'il faut oser regarder en face : " Les premiers chrétiens avaient horreur de mettre le Christ en croix, écrit le Père Lagrange, car ils avaient vu de leurs yeux ces pauvres corps complètement nus, attachés à un pieu grossier surmonté en forme de T par une barre transversale, les mains clouées à ce gibet, les pieds fixés aussi par des clous, le corps s'affaissant sous son propre poids, la tête ballante, des chiens attirés par l'odeur du sang dévorant les pieds, des vautours tournoyant sur ce champ de carnage, et le patient épuisé par les tortures, brûlant de soif, appelant la mort par des cris inarticulés. C'était le supplice des esclaves et des bandits. Ce fut celui qu'endura Jésus. "

Le Golgotha se dresse à la porte même de la ville. Y a-t-il eu une suffisante distance pour que les trois chutes consacrées par la tradition se soient accomplies ? La voie est courte où il avance étouffé par la foule, traîné par les soldats. Marie n'est peut-être pas dans le champ de son regard; mais elle est là. Elle profite de ce que son fils et son Dieu n'a plus de force ni de voix pour la repousser; elle émerge enfin du silence et de l'ombre, avec ce glaive dans le cœur. Aucun saint ne pourra étreindre la croix aussi étroitement que la Vierge; elle épouse la Rédemption, en silence. Non, la Mère n'a pas de cri, car elle n'est pas nommée parmi les femmes qui gémissent autour du condamné. Pour lui, il mesure, à cette minute, le châtiment de sa ville et de son peuple à l'excès de sa souffrance et il en frémit pour eux. " Pleurez sur vous et sur vos enfants ! " L'une des pleureuses se détacha peut-être et lui essuya la face avec un linge. Véronique est inconnue des évangélistes. Mais elle existe; ce n'est pas un personnage inventé. Il ne se peut pas qu'une femme ait résisté au désir d'essuyer cette face terrible.

Le crucifiement.

Voici l'instant le plus atroce; l'arrachement de l'étoffe collée aux plaies, les coups de marteau sur les clous, le redressement de l'arbre, le poids du fruit humain, la soif étanchée avec du vinaigre, de la myrrhe et du fiel, et la nudité, la honte de cette pauvre chair à l'étal... O refuge de la petite Hostie ! Les bourreaux font leur besogne de bourreaux : ils n'y ajoutent pas; Jésus prie pour eux parce qu'ils ne savent pas ce qu'ils font. Mais rien ne vient à bout de la haine des Scribes et des Prêtres. Ils ont encore là, devant cette plaie vivante, à rire, à hocher la tête, à se moquer; ils n'en finissent pas de triompher : " Il a guéri les autres et ne peut se sauver lui-même ! Descends de ta croix et nous croirons en toi ! Si tu es le roi des Juifs, sauve-toi toi-même !

Une ombre à leur plaisir : cette inscription que Pilate a collée sur le gibet : *Celui-ci est le roi des Juifs.* Ils tentent une démarche auprès du Procurateur pour qu'on introduise une correction : *qui s'est dit le roi des Juifs.* Mais le Procurateur est à bout, et peut-être déchiré d'angoisse. Il les éconduit sèchement : ce qui est écrit est écrit.

Autour de ce gibet tout près de la terre, la foule déferle, — si près de la terre que le condamné pourrait recevoir encore des crachats. Ils s'en tiennent aux moqueries : " Toi qui détruis le temple de Dieu et le rebâtis en trois jours, sauve-toi donc ! "

Qu'il se sauve lui-même, on ne demande qu'à croire en lui. Ceux qu'il aime, se pressent, montent une garde autour de son corps exposé, recouvrant, voilant de leur amour sa nudité, trop saignante, trop douloureuse pour offenser aucun regard. A travers le sang et le pus, il voit sa douleur réfléchie sur des visages chéris : ceux de Marie, sa mère, de Marie-Madeleine, d'une de ses tantes femme de Cléophas. Jean a peut-être les yeux fermés. Et voici l'épisode sublime, la dernière invention de l'Amour innocent et crucifié, que Luc seul rapporte : " L'un des malfaiteurs pendus à la croix, l'injuriait, disant : " N'es-tu pas le Christ ? Sauve-toi toi-même et sauve-nous. " Mais l'autre le reprenait, en disant : " Ne crains-tu pas Dieu, toi qui es condamné au même supplice ? Pour nous, c'est justice car nous recevons ce qu'ont mérité nos crimes; mais lui, il n'a rien fait de mal. " A peine a-t-il parlé qu'une grâce immense lui est donnée : celle de croire que ce supplicié, ce misérable rebut dont les chiens ne voudraient plus est le Christ, le Fils de Dieu, l'Auteur de la vie, le Roi du ciel. Et il dit à Jésus :

— Seigneur, souvenez-vous de moi, quand vous serez entré dans votre royaume.

— Aujourd'hui même, tu seras avec moi dans le ciel.

Un seul mouvement de pur amour, et toute une vie criminelle est anéantie. Bon larron, saint ouvrier de la dernière heure, rendez-nous fous d'espérance.

La mort.

Du fond de ce qu'il endure, Jésus enveloppe d'un seul regard les deux êtres qu'il a le plus aimés en ce monde et il les confie l'un à l'autre : " Femme, voilà votre fils — Voilà ta mère... " et la nôtre, pour l'éternité. Marie et Jean ne se quittèrent plus. Et tout à coup éclata le cri déchirant, le plus inattendu, et qui nous glace encore :

— Mon Dieu, mon Dieu, pourquoi m'avez-vous abandonné ?

C'est le premier verset du psaume 21 — de ce psaume que le Christ est occupé à vivre jusqu'à la mort. Oui, nous croyons de toute notre foi qu'il a fallu que le Fils connaisse encore cette horreur : l'abandon du Père. Mais il n'en reste pas moins que sa pensée mourante devait s'attacher à ce psaume dont les versets 6, 7 et 8 s'accomplissaient en lui, à la lettre, en ce moment même : " Et moi je suis un ver et non un homme, l'opprobre des hommes et le rebut du peuple. Tous ceux qui me voient se moquent de moi; ils ouvrent les lèvres et branlent la tête en disant : il a mis sa confiance dans le Seigneur, que le Seigneur le sauve puisqu'il l'aime ! Ils ont percé mes pieds et mes mains. Ils se partagent mes vêtements et tirent au sort ma tunique. "

Tout cela s'accomplit : la tunique sans couture est tirée au sort. Le Christ mourant se conforme à ce qui est prédit de lui. Il y adhère de ses dernières forces. Mais l'abandon, c'est à Géthsémani qu'il l'a connu. Ce premier verset du Psaume 21, qu'il a dû le crier de fois, au long de ces trois années accablantes ! (comme nous disons nous-mêmes, comme nous soupirons aux heures de fatigue ou de souffrance : " Mon Dieu ! ") Le plus étrange est que l'ayant entendu crier : " Eli ! Eli ! " des soldats crurent qu'il appelait Elie et dirent : " Il appelle Elie, voyons s'il va venir le sauver... " Ces simples gardaient donc un peu de foi... Cependant l'homme de douleur repasse son rôle verset par verset. Il dit encore : " J'ai soif ! " Une éponge trempée dans le vinaigre s'approche de sa bouche. Ce n'était point méchanceté : ce vinaigre servait aux soldats et devait ressembler à ce que nous appelons " piquette ". Jésus dit : " Tout est consommé. "

" Et baissant la tête, il rendit l'esprit. " Mais avant il poussa ce grand cri mystérieux qui fit qu'un centurion se frappa la poitrine en disant : " cet homme était vraiment le fils de Dieu... " Aucune parole n'est nécessaire; s'il plaît au Créateur : un cri suffit pour que sa créature le reconnaisse.

La mise au tombeau.

Rien ne reste de cette obscure aventure de trois années que trois corps suppliciés à l'entrée d'une ville, sous un ciel d'orage, un jour assombri de printemps. Spectacle ordinaire : pour l'exemple, c'était l'usage de laisser les corps des coupables exposés à tous les regards et aux outrages des bêtes, à la porte des cités. Mais le jour de la Préparation, il ne fallait pas que ces cadavres demeurassent là. A la demande des Juifs et sur l'ordre de Pilate, les soldats achevèrent donc les deux voleurs en leur rompant les jambes. Comme Jésus était mort, on se contenta d'un coup de lance qui lui ouvrit le cœur et Jean, la tête appuyée peut-être contre le corps en lambeaux, vit venir par la plaie ouverte, l'eau et le sang, les sentit sur lui couler.

Un disciple secret de Jésus, de l'espèce de ceux qui avaient eu peur des Juifs tant qu'il avait vécu, Joseph d'Arimathie, obtint du Procurateur la permission de prendre le corps. Nicodème, un craintif lui aussi, un politique, se manifesta à ce moment-là et vint avec cent livres de myrrhe et d'aloès. C'est l'heure des timides. Les deux hommes qui n'avaient pas osé confesser le Christ vivant et qui allaient le voir en cachette pendant la nuit, maintenant qu'il est mort témoignent plus de foi et de tendresse que ceux qui s'étaient répandus en paroles. Rien ne leur est plus, maintenant, à ces ambitieux, à ces gens en place, parce qu'ils ont perdu Jésus. Que craindraient-ils ? Les Juifs ne peuvent plus leur faire de mal. On peut tout leur prendre, puisqu'ils ont tout perdu, rien ne leur est plus de ces honneurs à quoi ils croyaient tenir plus qu'à tout en ce monde : puisque Jésus est mort.

Joseph d'Arimathie possédait un sépulcre neuf, dans un jardin, sur ce versant du Golgotha. A cause de la fête et comme ce sépulcre était tout proche, ils y déposèrent le corps du Seigneur.

27

Résurrection.

Des nuées ternissaient l'azur. Il se peut que des morts aient apparu, mais on ne s'en souvint que plus tard. Nous imaginons plutôt un soir de printemps pareil à tous les soirs de printemps, cette odeur de terre chaude et mouillée, cette lassitude charnelle, ce vide que je ressentais enfant, après la mort du dernier taureau, quand l'arène se vidait, comme si mon propre sang s'était appauvri de tout ce sang répandu. Un compte réglé, une affaire finie. Et tant de haine désormais inutile, retombée sur le cœur des scribes. L'immense tristesse de leur race s'amassait en eux : de quoi emplir les siècles des siècles, cette insatisfaction, cet inassouvissement. Les Pharisiens s'inquiétaient encore de ce qui persiste d'agitation autour d'un cadavre, même aussi déshonoré que celui-là. Ceux qui avaient toujours vu clair se moquaient de ceux que l'imposteur avait impressionnés. Mais la Pâque venait et chacun regagnait sa maison.

Où les amis du vaincu s'étaient-ils tapis ? Que subsistait-il de leur foi ? Le Fils de l'homme était entré dans la mort, et par quelle porte ! Sa mémoire ne serait pas seulement abominable aux Juifs, mais ignoble. Son héritage, dont il avait tant parlé ? un signe d'abjection. Sa victoire sur le monde ? Ceux qui le haïssaient l'avaient piétiné, écrasé, convaincu d'impuissance, donc d'imposture, à la face de tout le peuple. Non, plus rien à faire pour ses amis que de se cacher, que de dérober leurs larmes, leur honte, que de garder le silence et d'attendre.

Car tout de même ils attendaient, se souvenant de certaines paroles, s'y accrochant : leur foi vacillait, mais non leur amour. Peut-être parmi eux quelques cœurs brûlaient-ils, en proie à une folie de confiance, qui étaient déjà la folie de la croix. Les femmes surtout, toutes ces Maries... Pour la mère de Jésus, elle n'avait pas à avoir confiance, elle qui *savait*. Mais la Passion continuait en elle. Les coups n'en finissaient pas de pleuvoir, ni les crachats de souiller la face adorée. L'effusion du sang divin, elle ne pouvait pas l'arrêter dans son cœur. Chaque cri y vibrait encore, et le moindre soupir échappé des lèvres exsangues. La Vierge n'était plus que l'Écho indéfiniment prolongé de la Passion. Elle cherchait sur son front la trace des épines. Elle embrassait les paumes de ses mains... A moins qu'elle n'ait dû donner des soins à Jean anéanti...

Ici devrait commencer l'histoire du retour de Jésus dans le monde. Mais ce serait l'histoire du monde lui-même jusqu'à la consommation du temps. Car la présence de Jésus ressuscité dure encore; on serait tenté de dire que son Ascension ne l'a pas interrompue : plusieurs mois après que les disciples l'eurent vu disparaître, il aveuglait de sa lumière, sur la route de

Damas, son ennemi Saül et lui parlait. Or saint Paul n'a jamais douté qu'il fût un témoin de la Résurrection au même titre que ceux qui avaient bu et mangé avec le Christ vainqueur de la mort, ainsi qu'en témoigne le passage fameux de la Première Épître aux Corinthiens : " Je vous ai enseigné avant tout, comme je l'ai appris moi-même, que le Christ est mort pour nos péchés, conformément aux Écritures; qu'il a été enseveli et qu'il est ressuscité le troisième jour, conformément aux Écritures; et qu'il est apparu à Céphas, puis aux Onze. Après cela, il est apparu en une seule fois à plus de cinq cents frères dont la plupart sont encore vivants, et quelques-uns se sont endormis. Ensuite il est apparu à Jacques, puis à tous les Apôtres. Après eux tous, il m'est aussi apparu à moi, comme à l'avorton. "

Et sans doute les apparitions du Christ qui sont les garanties de sa Résurrection ne doivent pas être confondues avec celles dont beaucoup d'âmes ont eu le bénéfice, depuis qu'il est monté au ciel. Il n'empêche que celui qui terrassa Paul sur le chemin de Damas est bien ce même Jésus qu'un François, une Catherine, une Thérèse, une Marguerite-Marie, un Curé d'Ars, et tant de saints connus et inconnus, à la face de l'Église ou dans les ténèbres d'une vie cachée, ont entendu, ont vu, ont touché. Présence qui n'est pas la Présence Eucharistique, mais dont la petite hostie donne une idée au chrétien le plus ordinaire, lorsque revenu à sa place, il referme son manteau doucement sur cette flamme au plus intime de son être, sur cette palpitation de l'Amour captif.

Et cela est si vrai qu'alors que tant de récits évangéliques nous demeurent inimaginables, il n'en est aucun qui soit plus près de notre expérience vécue que ceux qui ont trait au Christ ressuscité. Et d'abord parce que de nous aussi il n'est connu qu'à travers sa Passion. S'il ne nous arrive plus du fond de la mort, il nous arrive toujours du fond de sa souffrance. Pour atteindre chacun de nous, il ne finit jamais de traverser cet enfer humain. Le visage que nous lui connaissons n'est pas celui du Juif que les soldats de la cohorte et les serviteurs du Grand Prêtre n'eussent pas discerné au milieu des autres, sans le baiser de Judas. C'est la Face souffletée et meurtrie à cause de nos crimes, c'est ce regard passionné et triste qui nous suit au cours de notre vie, de chute en chute, sans que l'amour dont il nous couve faiblisse ni se décourage jamais.

Aucune rencontre du Christ ressuscité avec l'un des siens qui ne rappelle au chrétien quelque événement de sa propre vie. Marie-Madeleine, en dehors du sépulcre pleure " parce qu'ils ont enlevé son Seigneur, et elle ne sait où ils l'ont mis ". " Ayant dit ces mots, elle se retourna et vit Jésus debout; et elle ne savait pas que c'était Jésus. Il lui dit : O femme, pourquoi pleurez-vous ? Qui cherchez-vous ? " Elle, pensant que c'était le jardinier, lui dit : " Seigneur, si c'est vous qui l'avez emporté, dites-moi où vous l'avez mis, et j'irai le prendre. " Jésus lui dit : " Marie ! " et les yeux de la sainte femme s'ouvrirent; elle dit : " Raboni ! " Et nous aussi, nous l'avons reconnu quelquefois. Pourquoi ne pas l'avouer ? Dans ses prêtres, bien souvent. Nous disons tant de mal des prêtres ! Et pourtant, au chrétien qui a l'habitude (peut-être mauvaise) de s'agenouiller au hasard des confessionnaux, il est advenu plusieurs fois d'entendre la parole inattendue, foudroyante; de recevoir tout à coup d'un inconnu doux et humble de cœur, prisonnier de ce cercueil grillagé, le don d'une tendresse divine, une consolation qui n'était pas de l'homme.

L'invocation de Thomas, appelé Didyme, que de fois est-elle venue à nos lèvres, lorsque nous aussi, avec les yeux de la foi, avec des mains tâtonnantes d'aveugle, nous avons vu et touché les stigmates du Seigneur ! " *Dominus meus et Deus meus..* " *Mon* Seigneur et *mon* Dieu. Il est la possession de tous, donné, livré à chacun en particulier.

Une première fois, Jésus était entré dans la pièce où les disciples se tenaient barricadés, par crainte des Juifs. Il leur avait montré ses plaies; il les avait inondés de sa paix et de sa joie et leur avait communiqué ce pouvoir de remettre les péchés. (Certitude d'être pardonné ! main du prêtre sur notre front, parole de déliement qui coule sur notre cœur et sur notre chair, comme l'eau et le sang du côté ouvert par la lance !) Thomas n'était pas avec eux lorsque Jésus vint et ne voulut pas croire ce qu'ils lui racontaient : " Si je ne vois dans ses mains la trace des clous, et si je ne mets mon doigt à la place des clous et ma main dans son côté, je ne croirai pas. " Huit jours après, Jésus survient tout à coup, et il dit à Thomas : " Mets ici ton doigt et regarde mes mains, et mets-la dans mon côté; et ne sois pas incrédule, mais fidèle. " Thomas lui répondit : " Mon Seigneur et mon Dieu ! " Jésus lui dit : " Parce que tu as vu, Thomas, tu as cru. Heureux ceux qui auront cru sans avoir vu ! "

Seigneur que nous n'avons pas vu avec nos yeux de chair, nous croyons en vous.

A qui d'entre nous l'auberge d'Emmaüs n'est-elle familière ? Qui n'a pas marché sur cette route, un soir où tout semblait perdu ? Le Christ était mort en nous. On nous l'avait pris : le monde, les philosophes et les savants, notre passion. Il n'y avait plus de Jésus pour nous sur la terre. Nous suivions un chemin, et quelqu'un marchait à nos côtés. Nous étions seul et nous n'étions pas seul. C'est le soir. Voici une porte ouverte, cette obscurité d'une salle où la flamme de la cheminée n'éclaire que la terre battue et fait bouger des ombres. O pain rompu ! o fraction du pain consommée malgré tant de misère ! " *Reste avec nous, car le jour baisse...* "

Le jour baisse, la vie finit. L'enfance paraît plus loin que le commencement du monde; et de la jeunesse perdue, nous n'entendons plus que le dernier grondement dans les arbres morts du parc méconnaissable.

" Lorsqu'ils se trouvèrent près du village où ils allaient, il parut vouloir aller plus loin. Mais ils le pressèrent en disant : " Reste avec nous, car il se fait tard, et déjà le jour baisse. " Et il entra dans le village pour rester avec eux. S'étant mis à table avec eux, il prit le pain et, après avoir rendu grâces, il le rompit et le leur donna. Alors leurs yeux s'ouvrirent et ils le reconnurent; mais il disparut de devant leurs yeux. Et ils se dirent l'un à l'autre : " N'est-il pas vrai que notre cœur était tout brûlant en dedans de nous lorsqu'il nous parlait en chemin et nous expliquait les Écritures ? "

Une autre fois, Céphas, Thomas, Nathanaël, Jacques et Jean pêchaient. Ils étaient revenus à leur Tibériade, à leur barque, à leurs filets, " ils s'étaient rangés... ", devaient penser les familles. Ils ne prenaient rien. Un inconnu leur dit de jeter leur filet à droite. Ils retirèrent tant de poissons, que Jean tout à coup comprit : « C'est le Seigneur ! Pierre, c'est le Seigneur ! » Et Pierre aussitôt de se jeter à la mer pour atteindre plus tôt son Bien-aimé. Il est là, sur la plage. C'est bien Lui. Quelques tisons fument. Le soleil sèche les vêtements de Pierre. Ils font cuire leur pêche; ils mangent le pain que leur donne ce Jésus auquel ils n'ont même pas demandé : Qui êtes-vous ? On n'est jamais tout à fait sûr que ce soit Lui. Mais si ! mon Dieu, c'est Vous, c'est bien vous qui tout à coup posez la question (ah ! qu'elle nous est familière ! Mais non la réponse, hélas !).

— Simon, fils de Jean, m'aimes-tu plus que ne font ceux-ci ?

— Oui, Seigneur, vous savez que je vous aime...

— Pais mes agneaux...

Trois fois ce dialogue s'échange sur la plage, au bord du lac. Puis Jésus s'éloigne et Pierre le suit; et Jean un peu après lui — comme s'il avait perdu son privilège de « plus aimé », comme si le Seigneur ressuscité ne cédait plus à cette préférence de son cœur. Pourtant il prononce à propos du fils de Zébédée des paroles mystérieuses qui feront croire aux autres disciples que Jean ne connaîtra pas la mort. Et lorsque, à quelques semaines de là, Jésus s'arrache du groupe des disciples, monte, se dissout dans la lumière, il ne s'agit pas d'un départ définitif. Déjà il est embusqué au tournant du chemin qui va de Jérusalem à Damas et il épie Saül, son persécuteur bien-aimé. Désormais, dans le destin de tout homme, il y aura ce Dieu à l'affût.

Table des chapitres

ACHEVÉ D'IMPRIMER EN 1962
PAR L'IMPRIMERIE BUSSIÈRE A SAINT-AMAND
D. L. 2e T. 61 - 1197.2.